Monteiro Lobato

Cidades Mortas

e outros contos

Monteiro Lobato

Cidades Mortas

e outros contos

Principis

Esta é uma publicação Principis, selo exclusivo da Ciranda Cultural
Editora e Distribuidora Ltda.

Texto: Monteiro Lobato
Produção: Ciranda Cultural
Projeto gráfico e revisão: Casa de Ideias

**Dados Internacionais de Catalogação na Publicação (CIP)
de acordo com ISBD**

L796c Lobato, Monteiro, 1882-1948

Cidades Mortas e outros contos / Monteiro Lobato. - Jandira, SP :
Ciranda Cultural, 2019.
144 p. : il. ; 16cm x 23cm.

ISBN: 978-85-943-1868-8

1. Literatura brasileira. 2. Contos. I. Título.

2019-890
CDD 869.8992301
CDU 821.134.3(81)-34

**Elaborado por Vagner Rodolfo da SIlva - CRB-8/9410
Índice para catálogo sistemático:**

1. Literatura brasileira : Contos 869.8992301
2. Literatura brasileira : Contos 821.134.3(81)-34

1ª Edição
www.cirandacultural.com.br

SUMÁRIO

CIDADES MORTAS

1906

A quem em nossa terra percorre tais e tais zonas, vivas outrora, hoje mortas, ou em via disso, tolhidas do insanável caquexia, uma verdade, que é um desconsolo, ressurte de tantas ruínas: nosso progresso é nômade e sujeito a paralisias súbitas. Radica-se mal. Conjugado a um grupo de fatores sempre os mesmos, reflui com eles duma região para outra. Não emite peão. Progresso de cigano, vive acampado. Emigra, deixando atrás de si um rastilho de taperas.

A uberdade nativa do solo é o fator que o condiciona. Mal a uberdade se esvai, pela reiterada sucção de uma seiva não recomposta, como no velho mundo, pelo adubo, o desenvolvimento da zona esmorece, foge dela o capital – e com ele os homens fortes, aptos para o trabalho. E lentamente cai a tapera nas almas e nas coisas.

Em São Paulo temos perfeito exemplo disso na depressão profunda que entorpece boa parte do chamado Norte.

Ali tudo foi, nada é. Não se conjugam verbos no presente. Tudo é pretérito.

Umas tantas cidades moribundas arrastam um viver decrépito, gasto em chorar na mesquinhez de hoje as saudosas grandezas de dantes.

Pelas ruas ermas, onde o transeunte é raro, não matracoleja sequer uma carroça; de há muito, em matéria de rodas, se voltou aos rodízios desse rechinante símbolo do viver colonial – o carro do boi. Erguem-se por ali soberbos de dois e três andares, sólidos como fortalezas, tudo pedra, cal e cabiúna; casarões que lembram ossaturas de megatérios donde as carnes, o sangue, a vida para sempre refugiram.

Vivem dentro, mesquinhamente, vergônteas mortiças de famílias fidalgas, de boa prosápia entroncada na nobiliarquia lusitana. Pelos salões vazios, cujos frisos dourados se recobrem da patina dos anos e cujo estuque, lagarteado de fendas, esboroa à força de goteiras, paira o bafio da morte. Há nas paredes quadros antigos, crayons, figurando efígies de capitães-mores de barba em colar. Há sobre os aparadores Luís XV brônzeos candelabros de dezoito velas, esverdecidos de azinhavre. Mas nem se acendem as velas, nem se guardam os nomes dos enquadrados – e por tudo se agruma o bolor râncido da velhice.

São os palácios mortos da cidade morta.

Avultam em número, nas ruas centrais, casas sem janelas, só portas, três e quatro: antigos armazéns hoje fechados, porque o comércio desertou também. Em certa praça vazia, vestígios vagos de "monumento" de vulto: o antigo teatro – um teatro onde já ressoou a voz da Rosina Stolze, da Candiani...

Não há na cidade exangue nem pedreiros, nem carapinas; fizeram-se estes remendões; aqueles, meros demolidores – tanto vai da última construção. A tarefa se lhes resume em especar muros que deitam ventres, escorar paredes rachadas e remendá-las mal e mal. Um dia metem abaixo as telhas: sempre vale trinta mil-réis o milheiro – e fica à inclemência do tempo o encargo de aluir o resto.

Os ricos são dois ou três forretas, coronéis da Briosa, com cem apólices a render no Rio; e os sinecuristas acarrapatados ao orçamento: juiz, coletor, delegado. O resto é a "mob": velhos mestiços de miserável descendência, roídos de opilação e álcool; famílias decaídas, a viverem misteriosamente umas, outras à custa do parco auxílio enviado de fora por um filho mais audacioso que emigrou. "Boa gente", que vive de aparas.

Da geração nova, os rapazes debandam cedo, quase meninos ainda; só ficam as moças – sempre fincadas de cotovelos à janela, negaceando um marido que é um mito em terra assim, donde os casadouros fogem. Pescam, às vezes, as mais jeitosas, o seu promotorzinho, o seu delegadozinho de carreira – e o caso vira prodigioso acontecimento histórico, criador de lendas.

Toda a ligação com o mundo se resume no cordão umbilical do correio – magro estafeta bifurcado em pontiagudas éguas pisadas, em eterno ir-e-vir com duas malas postais à garupa, murchas como figos secos.

Até o ar é próprio; não vibram nele fonfons de auto, nem cometas de bicicletas, nem campainhas de carroça, nem pregões de italianos, nem *ten-tens* de sorveteiros, nem *plás-plás* de mascates sírios. Só os velhos sons coloniais – o sino, o chilreio das andorinhas na torre da igreja, o rechino dos carros de boi, o cincerro de tropas raras, o taralhar das baitacas que em bando rumoroso cruzam e recruzam o céu.

Isso, nas cidades. No campo não é menor a desolação. Léguas a fio se sucedem de morraria áspera, onde reinam soberanos a saúva e seus aliados, o sapé e a samambaia. Por ela passou o Café, como um Átila. Toda a seiva foi bebida e, sob forma de grão, ensacada e mandada para fora. Mas do ouro que veio em troca nem uma onça permaneceu ali, empregada em restaurar o torrão. Transfiltrou-se para o Oeste, na avidez de novos assaltos à virgindade da terra nova; ou se transfez nos palacetes em ruína; ou reentrou na circulação europeia por mão de herdeiros dissipados.

À mãe fecunda que o produziu nada coube; por isso, ressentida, vinga-se agora, enclausurando-se numa esterilidade feroz. E o deserto lentamente retoma as posições perdidas.

Raro é o casebre de palha que fumega e entremostra em redor o quartelzinho de cana, a rocinha de mandioca. Na mor parte os escassíssimos existentes, descolmados pelas ventanias, esburaquentos, afestoam-se do melão-de-são-caetano – a hera rústica das nossas ruínas.

As fazendas são Escoriais de soberbo aspecto vistas de longe, entristecedoras quando se lhes chega ao pé. Ladeando a Casa-Grande, senzalas vazias e terreiros de pedra com viçosas guanxumas nos interstícios. O dono está ausente. Mora no Rio, em São Paulo, na Europa. Cafezais extintos. Agregados dispersos. Subsistem unicamente, como lagartixas na pedra, um pugilo de caboclos opilados, de esclerótica biliosa, inermes, incapazes de fecundar a terra, incapazes de abandonar a querência, verdadeiros vegetais de carne que não florescem nem frutificam – a fauna cadavérica de última fase a roer os derradeiros capões de café escondidos nos grotões.

– Aqui foi o Breves. Colhia oitenta mil arrobas!...

A gente olha assombrada na direção que o dedo cicerone aponta. Nada mais!... A mesma morraria nua, a mesma saúva, o mesmo sapé de sempre. De banda a banda, o deserto – o tremendo deserto que o Átila Café criou.

Outras vezes o viajante lobriga ao longe, rente ao caminho, uma ave branca pousada no topo dum espeque. Aproxima-se de vagar ao chouto rítmico do cavalo; a ave esquisita não dá sinais de vida; permanece imóvel. Chega-se inda mais, franze a testa, apura a vista. Não é ave, é um objeto de louça... O progresso cigano, quando um dia levantou acampamento dali, rumo a Oeste, esqueceu de levar consigo aquele isolador de fios telegráficos... E lá ficará ele, atestando mudamente uma grandeza morta, até que decorram os muitos decênios necessários para que a ruína consuma o rijo poste de "candeia" ao qual o amarraram um dia – no tempo feliz em que Ribeirão Preto era ali...

A VIDA EM OBLIVION*
1908

Os três livros

A cidadezinha onde moro lembra soldado que fraqueasse na marcha e, não podendo acompanhar o batalhão, à beira do caminho se deixasse ficar, exausto e só. Com os olhos saudosos pousados na nuvem de poeira erguida além.

Desviou-se dela a civilização. O telégrafo não a põe à fala com o resto do mundo, nem as estradas de ferro se lembram de uni-la à rede por intermédio de humilde ramalzinho.

O mundo esqueceu Oblivion, que já foi rica e lépida, como os homens esquecem a atriz famosa logo que se lhe desbota a mocidade. E sua vida de vovó entrevada, sem netos, sem esperanças, é humilde e quieta como a do urupê escondido no sombrio dos grotões.

Trazem-lhe os jornais o rumor do mundo, e Oblivion comenta-o com discreto parecer. Mas como os jornais vêm apenas para meia dúzia de pessoas, formam estas a aristocracia mental da cidade. São "Os Que Sabem". Lembra o primado dos Dez de Veneza, esta sabedoria dos Seis de Oblivion.

Atraídos pelas terras novas, de feracidade sedutora, abandonaram-na seus filhos; só permaneceram os de vontade anemiada, débeis, faquirianos. "Mesmeiros", que todos os dias dizem as mesmas coisas, dormem o mesmo sono, sonham os mesmos sonhos, comem as mesmas comidas, comentam os mesmos assuntos, esperam o mesmo correio, gabam

---

* Na primeira edição, o título deste capítulo era "Coisas do meu diário", com o subtítulo Oblivion. Nota da edição de 1955.

a passada prosperidade, lamuriam do presente e pitam – pitam longos cigarrões de palha, matadores do tempo.

Entre as originalidades de Oblivion uma pede narrativa: o como da sua educação literária.

Promovem-se três livros venerandos, encardidos pelo uso, com as capas sujas, consteladas de pingos de vela – lidos e relidos que foram em longos serões familiares por sucessivas gerações. São eles: *La mare d'Auteuil*, de Paulo de Kock, para o uso dos conhecedores do francês; uns volumes truncados do *Rocambole*, para enlevo das imaginações femininas; e *Ilha maldita*, de Bernardo Guimarães, para deleite dos paladares nacionalistas.

O dono primitivo seria talvez algum padre morto sem herdeiros. Depois, à força de girarem de déu em déu, esses livros forraram-se à propriedade individual. Quem, por exemplo, deseja ler o *Rocambole* diz na rodinha da farmácia:

– Onde andará o *Rocambole*?

Informam-no logo, e o candidato toma-o das mãos do detentor último, ficando desde esse momento como o seu novo depositário. Processo sumaríssimo e inteligente.

Quando se esgotou a minha provisão de livros e, ignorante ainda da riqueza literária da terra, deliberei decorrer ao estoque local, dirigi-me a um dos Seis. O homem enfunou-se de legítimo orgulho ao dar-me os informes pedidos.

– Temos obras de fôlego, poucas mas boas, e para todos os paladares. Gênero pândego, para divertir, temos, "por exemplo", *La mare d'Auteuil*, de Paulo de Kock. Impagável!

– Obrigado. De Kock, nem a tuberculina.

– Temos o célebre *Rocambole*, "gênero imaginoso"; infelizmente está incompleto; faltam uns dezessete volumes.

– Não me serve o resto.

– E temos uma obra-prima nacional, a *Ilha maldita*, do "nosso" Bernardo Guimarães.

Parando aí o catálogo, era forçoso escolher.

No concerto dos nossos romancistas, onde Alencar é o piano querido das moças e Macedo a sensaboria relambória dum flautim piegas, Bernardo é a sanfona. Lê-lo é ir para o mato, para a roça – mas uma roça adjetivada por menina de Sion, onde os prados são *amenos*, os vergéis *floridos*, os rios *caudalosos*, as matas *viridentes*, os píncaros *altíssimos*, os sabiás *sonorosos*, as rolinhas *meigas*. Bernardo descreve a natureza como um cego que ouvisse contar e reproduzisse as paisagens com os qualificativos surrados do mau contador. Não existe nele o vinco enérgico da impressão pessoal. Vinte vergéis que descreva são vinte perfeitas e invariáveis amenidades. Nossas desajeitadíssimas caipiras são sempre lindas morenas cor de jambo.

Bernardo falsifica o nosso mato. Onde toda a gente vê carrapatos, pernilongos, espinhos, Bernardo aponta doçuras, insetos maviosos, flores olentes.

Bernardo mente.

Mas como mente menos que o Paulo de Kock ou o truculento Ponson, pai do *Rocambole*, escolhi-o.

Veio o livro. Volume velho como um monumento egípcio e como ele revestido de inscrições. Cada leitor que passava ia deixando o rastro gravado a lápis.

"Li e gostei", dizia um, "Li e apreciei", afirmava certa senhorita. Inscrição quase em cuneiforme rezava "Fulano leu e apreciou o talento do grande escritor brasileiro". Outro versificava: "Já foi lido – Pelo Walfrido". Tal moça notara parcimoniosamente: "Li" e assinou. Um amigo da ordem inversa pôs: "Li e muito gostei".

Houve quem discordasse. "Li e não gostei", declarou um fulano.

O patriotismo literário dum anônimo saiu a campo em prol do autor: "Os porcos preferem milho a pérolas", escreveu ele embaixo.

Monograma complicadíssimo subscrevia isto: "O *Rocambole* diverte mais".

E assim, por quanto espaço em branco tinha o livro, margens ou fins de capítulo, as apreciações se alastravam com levíssimas variantes ao sóbrio "Li e gostei" inicial. Havia nomes bem antigos, de pessoas falecidas, e nomes das meninas casadeiras da época.

Os intelectuais de Oblivion bebiam à farta naquela veneranda fonte. Em Bernardo abeberavam-se de "estilo e boa linguagem", conforme afirmou um; no *Rocambole* truncado exercitavam os músculos da imaginativa; e no Paulo de Kock, os eleitos, os Sumos (os que sabiam francês!) fartavam-se da *grivoiserie* permitida a espíritos superiores.

Essa trindade impressa bastava à educação literária da cidade. Feliz cidade! Se é de temer o homem que só conhece um livro, a cidade que só conhece três é de venerar. Veneração, entretanto, que não virá, porque o mundo desconhece totalmente a pobrezinha da Oblivion...

OS PERTURBADORES DO SILÊNCIO
1908

O silêncio em Oblivion é como o frio nas regiões árticas: uma permanente. Não se compreende a segunda sem o primeiro. Ele a completa; ela o define.

Durante a noite aquele silêncio faz-se inteiriço como a escuridão. Por mais que se apurem, os ouvidos nada ouvem a não ser um vago e remoto ressoar, que lembra miríade de grilos microscópicos em imperceptível surdina chiadeira.

Durante o dia, porém, a integridade do silêncio em Oblivion sofre lesões. Uns tantos rumores, sempre os mesmos e periodicamente repetidos, constelam-no de quebras de continuidade. O velho inimigo do Silêncio, o Som, a espaços berra dentro dele grilos sediciosos, tal o relâmpago que momentaneamente destrói o império das trevas. Mas o Silêncio logo subjuga e absorve o intruso.

À frente desse grupo de Irreverências está o Sino da igreja. Repicando missa aos domingos ou chorando a defunto, alegre ou fúnebre, é o Sino o mais violento perturbador do Silêncio em Oblivion.

Outra, é a capina trimensal das ruas: o raspar das enxadas perturba o silêncio com a insistência do coaxar do sapo-ferreiro.

Outra, é o fim das aulas. Quando soam quatro horas o portão do Grupo Escolar borbota um fluxo de meninos rompidos em algazarra, a berrar, a cantar – e adeus silêncio.

Outra, é esta deveras notável, é o carrinho da Câmara.

O carrinho da Câmara constitui o veículo mais importante de Oblivion – que além dele só conta mais um, o Zé Burro, sólido preto-mina empregado no transporte das coisas pesadas. E é o principal por várias razões ponderosas, entre as quais a de ser ele todo de ferro, ao passo que o outro é de carne. Verdade que o carrinho só tem uma roda e o preto tem duas pernas. Mas como a roda do carrinho é bem centrada e as pernas do Zé são cambaias, aquela superioridade desaparece e o carrinho instala-se de vez no primado.

Mas esta questão de primazias não vem ao caso. O caso é a perturbação do Silêncio determinada pelo carrinho, fato que se dá da seguinte maneira. Como o carrinho tem pouco serviço e passa a mor parte do tempo a cochilar no depósito, a ferrugem, insidiosa inimiga da inação, sub-repticiamente vem pintar de vermelho o eixo das rodas, de modo que, mal sai à rua o veículo, o pobrezinho do eixo grita como um gotoso, geme, range, ringe – perturbando lamentavelmente o Silêncio de Oblivion.

Quando Isaac Fac-Totum – um mulato retaco, grosso e curto como certas taturanas – recebe ordem para ir a tal parte formicidar um olheiro de saúvas, o rolete de homem mete as garrafas de formicida, a enxada e o fósforo dentro do carrinho e, imagem da Compenetração, símbolo da Convicção Inabalável, parte *nhem-nhim*, *nhem-nhim*, através das vias principais da cidade, em busca do mal-aventurado olheiro.

De sobrecenho carregado, Isaac leva o olhar atentamente fito à frente – para "evitar algum desastre". Nas ruas desertas apenas um ou outro cachorrinho se estira ao sol. Isaac, a vinte passos, divisando o vulto de um, para, ergue a mão em viseira, firma os olhos.

– Diabo! Amode que é o *Joli* do Pedro Surdo? –, e com uma pedra o espanta: – Sai, porqueira! Não *ouve* o carro? Não tem medo de morrê masgaiado?

E, convencido de que salvou a vida a um cristão, Isaac-Garrafa-de-Licor-de-Cacau retoma os varais e lá segue por Oblivion afora, *nhem-nhim*, *nhem-nhim*, com solenidade de dalai-lama do Tibete.

Às janelas açode gente. Crianças repimpadas no peitoril gritam para dentro:

– Mamãe, o carrinho "evem" vindo!

Muita moça nervosa deixa a costura e tapa os ouvidos:

– Que inferneira! Não se pode com essa barulhada!

Não obstante, o terrível veículo passa, indiferente à admiração como à censura, garboso, todo de ferro e ferrugem, *nhem-nhim*, *nhem-nhim*, empurrado pela dignidade infinita de Isaac-Toco-de-Vela.

E enquanto o carrinho da Câmara não torna ao depósito municipal, o Silêncio não reentra na posse dos seus domínios.

VIDINHA OCIOSA
1908

Apólogo

O velho Torquato dá revelo ao que conta à força de imagens engraçadas ou apólogos. Ontem explicava o mal da nossa raça: *preguiça de pensar*. E restringindo o asserto à classe agrícola:

– Se o governo agarrasse um cento de fazendeiros dos mais ilustres e os trancasse nesta sala, com cem machados naquele canto e uma floresta virgem ali adiante; e se naquele quarto pusesse uma mesa com papel, pena e tinta, e lhes dissesse: "Ou vocês *pensam* meia hora naquele papel ou bolam abaixo aquela mata", daí a cinco minutos *cento e um* machados pipocavam nas perobas!...

A mesmice

Um coronel inglês suicidou-se "tired of buttoning and unbuttoning" – cansado de abotoar e desabotoar a farda.

A vida em Oblivion é um perpétuo "buttoning and unbuttoning" que não desfecha no suicídio.

Salvam-na a botica e o jogo. A botica, porque nela há uma sessão permanente de mexerico, e o mexerico é a ambrosia dos lugarejos pobres. E o jogo, porque quem perdeu não pode suicidar-se antes da desforra, e quem ganhou vai alegre, a cantarolar que afinal de contas a vida é boa. Dessa forma escapam todos ao cansaço da mesmice.

A folhinha

A folhinha inventou-a algum boticário do interior para uso de sua cidade-aldeia, onde correm os dias tão iguais e parecidos que só por meio dela podemos distinguir uma segunda duma terça ou quarta-feira.

Um só dia tem feição própria: o domingo. Assinala-o a roupa limpa, a roupa nova, a roupa preta que surge pelas ruas a tomar sol no corpo de toda gente. Redobram de movimento as praças. Caras novas de gente extramuros dão ares de sua graça. Há mercado cedo, missas até as onze; depois, pelo resto da tarde, continuam a assinalar o Dia do Senhor caboclos e negros encachaçados, aglomerados pelas vendas. Vendem elas mais pinga nesse dia do que durante a semana inteira. Todos voltam para casa mais ou menos chumbeados. Os "de cair" dormem na cidade. Os de pinga exaltada, no xadrez. E assim transcorre o belo domingo sem necessidade de irmos à folhinha para sabermos que dia é.

Touradas

Transformaram o antigo velódromo em circo de touros; metade das arquibancadas virou *Sombra*, a mil-réis; e a outra metade, *Sol*, a quinhentos. Num camarote enfeitado de cetim amarelo e verde está um *inteligente* pegado a laço e imensamente bronco. Ao seu lado, um *clarim* tuberculoso; cada vez que sopra na corneta falta-lhe fôlego para um som completo – e o povo ri-se.

Toureiro de verdade há um, o Antônio Corajoso, empresário, bilheteiro e assessor do *inteligente*. Mais dois açougueiros vestidos de *toreros*, com o competente rabicho, completam a *cuadrilla*.

A cada passinho Corajoso berra para o *inteligente*: "Dê ordem de recolhida, faça isto, faça aquilo". E o pobre-diabo se vê tonto para conciliar uma burrice inata com os deveres do cargo.

O povo vaia ou aplaude num tom amolecado que é toda a graça da festa. Reles, mas divertido. "Feche a boca, negro! Está com fome?" (isto para um toureiro mulato). "Recolham esse canivete aleijado!" (para um zebuzinho preto muito magro). "Hu! hu! Tira leite dessa vaca, ó canudo de pito!"

Uma farpa fere um boi na veia; o sangue começa a correr. Enternecimento geral. Para-se a tourada para remendar-se o boi. Laçam-no, cosem-lhe a ferida – operação demorada que consome vinte minutos. Tomado de piedade, o povo não consente que farpeiem os restantes.

Há palhaço – um palhaço que faz jus ao cinturão de ouro do Desenxabimento e da Moleza. Tem preguiça até de andar, preferindo apanhar marradas a correr. Lá quando a banda de música ataca a valsa *Amoureuse*, o ladrão atravessa a arena dançando. Mas dança com tamanha preguiça que o povo rompe num berreiro "Lincha o cínico! Mata!". E chovem-lhe em cima toda sorte de desaforos – e cascas de pinhão...

Remata a festa a "pantomina", como diz o programa. Consiste no *Pançudo*, figura de um cômico prodigioso. Tem tanto de largo como de alto. Perfeita esfera encimada por uma cabeça e "embaixada" por dois pés. É um homem acolchoado. Mal aparece, em passinhos miúdos e lentos, uma voz o denuncia: "É o Zé de Mama! Aí, negro safado!". E toda a gente morre de rir, adivinhando o pobre preto, muito sério, a suar em bicas dentro da couraça de colchões. O boi investe, marra-o, arremessa-o longe. Os toureiros reerguem-no. Nova investida, novo rebolar. E assim até que o touro, desconfiado, se recuse à pagodeira. Soa por fim o toque de recolher e, todo esburacado, com a palhaça à mostra, lá vai para os bastidores o pobre Zé de Mama, rolado qual uma pipa.

A enxada e o parafuso

Cada terra com seu uso. O nosso teatrinho sempre usou campainha para as chamadas. Campainha é eufemismo. Havia lá dentro uma enxada velha, pendurada de um arame, com um parafuso de cama, cabeçudo, ao lado. Os sinais eram batidos ali.

Veio um mambembe pernóstico e calou a enxada, substituindo os seus sonidos por três pancadas no assoalho.

No primeiro dia o povo da plateia entreolhou-se ao ouvir aquilo, e lá pelo poleiro houve risadas e assobios. O delegado resolveu intervir.

– Este mambembe parece que está mangando conosco!

Explicações. O empresário provou que aquele sistema era a última moda de Paris. Os espectadores remexeram-se, desconfiados. Estavam nessa indecisão, quando o major dirimiu a pendenga com o peso de sua autoridade:

– Mas isto aqui não é Paris!...

– Bravos! Bravos!

E a velha enxada sonorosa voltou a ser tangida com o parafuso de cabeça.

Rabulices

Nos dias de Júri reúnem-se os advogados e rábulas na antessala do tribunal, os primeiros a virem, os últimos a saírem, como gente que procura gozar, bem gozado, um ambiente poucas vezes fornecido pelas circunstâncias. E, como peixes n'água, à vontade, dão trela à comichão mexeriqueira da rabulice, esquecendo-se em interminável prosa sobre processos, atos judiciários, movimento forense, nomeações, negócios profissionais, pilhérias jurídicas. As cabeças estão abarrotadas de leis, regulamentos, decretos e fatos jurídicos, de modo a só tomarem conhecimento das relações entre o fato e a lei escrita, e nunca entre o fato e a lei natural – o que é próprio do filósofo. Na natureza só veem coisas fungíveis, infungíveis, móveis, imóveis, semoventes, bens, *res nullius*, artigos de enfiteuse – a carne e o osso, enfim, da propriedade. Essa janelinha que o artista e o filósofo trazem aberta para a natureza bruta, ou para a humanidade, vistas, uma como turbilhão de forças em perene esfervilhar, outra como oceano de paixões onde se debate o *Homo* – animal filho da natureza, todo ele vegetação viçosa de instintos irredutíveis –, o homem de leis abre-a para a rede de fios que a Lei trama e destrama, fios que atam os homens entre si ou à Natureza convertida em *propriedade*.

E toda a maranha velhaca que isso é engloba-se dentro da mais bela concepção do idealismo – a Justiça.

Pé no chão

Fica no extremo da rua o Grupo Escolar, de modo que a meninada passa e repassa à frente da minha janela. Notei que muitas crianças sofriam dos pés, pois traziam um no chão e outro calçado. Perguntei a uma delas:

– Que doença de pés é essa? Bicho arruinado?

O pequeno baixou a cabeça com acanhamento; depois confessou:

– É "inconomia".

Compreendi. Como nos Grupos não se admitem crianças de pé no chão, inventaram as mães pobres aquela pia fraude. Um pé vai calçado; o outro, doente de imaginário mal crônico, vai descalço. Um par de botinas dura assim por dois. Quando o pé de botina em uso fica estragado, transfere-se a doença de um pé para outro, e o pé de botina de reserva entra em funções. Destarte, guardadas as conveniências, fica o dispêndio cortado pelo meio. Acata-se a lei e guarda-se o cobre.

Benditas sejam as mães engenhosas!

Barquinha de papel

Quando chove, logo que passa o aguaceiro e o enxurro transforma a rua num sistema de rios e riachos lamacentos, começam a derivar barquinhas de papel. A casa do Joaquim, o moleque-chefe da rua, vira estaleiro. Saem de lá as grandes, com bandeirolas. A mocinha de frente também deita, a medo, a sua; e quem seguir esta barquinha verá o rapaz moreno, que mora na outra esquina e está à janela, correr à sarjeta, apanhá-la e ler risonho a mensagem a lápis da sua namorada...

O herege

Os filhos do capitão Zarico brincam todos os dias debaixo da minha janela. É a ciranda, é o pegador, é a senhora pastora. A preta Esméria fica o tempo todo com o caçula ao colo, vigiando-os. Ainda hoje estava lá, às voltas com o pequerrucho.

– Quem tirou o toucinho daqui?

– Foi o gato.

– Que é do gato?

– Está no mato.

– Que é do mato?

– O fogo queimou.

– Que é do fogo?

– A água apagou.

– Que é da água?

– O boi bebeu.

– Que é do boi?

– Está dizendo missa...

– Credo! – resmungou a preta. – Tão pequenino e já herege como o pai...

Juquita

É Juquita o terror da bicharia miúda. Cães e gatos conhecem-no de longe. Esta manhã encontrei-o a brincar com um sanhaço semimorto que, de repente, não se sabe como, sumiu. O menino procurava-o quando passei.

– Não viu o meu sanhaço? – perguntou-me.

– Com certeza algum gato o pegou – sugeri.

– Gato! – e Juquita riu-se com a maior comiseração da minha ingenuidade. – Não há gato que tenha coragem de chegar perto de mim.

O Jesuíno

Quando os juízes de fato se fecham (ou são fechados) na sala secreta, ficam à porta de guarda os dois oficiais de justiça. O único interessante é o Jesuíno, mulato velhusco, grandalhão, lento no falar como um carro de boi ladeira acima.

Desfila o seu rosário de aventuras, onde ele sempre trunfa às avessas. Tem absorvido muita pancada, e até cargas de chumbo. Como é homem da lei, não reage senão por meio da lei. E comezinho ir citar um caboclo na roça, ser hospedado a guatambu e vir dar conta ao juiz da façanha com vergões pelo corpo, gaios na testa, e às vezes descadeirado. Considera a pancada um osso do ofício. Conta de um soco tão violento que o derribou a duas braças de distância. Como os valentões exageram as proezas, Jesuíno exagera os martírios que padeceu a bem da lei.

Isso no fundo é ganância de gorjetas. A parte por amor da qual levou pancada paga-lhe os galos.

Mas nesse caso do soco há um apêndice – para os colegas, onde não há de vir gorjeta. Conta que mal se ergueu, meio tonto, e se aprumou, o escacha-meirinho veio-lhe para cima de porrete e o desancou sem dó. Mas ele afinal atracou-se ao bicho e conseguiu ferrar-lhe as munhecas no gasnete. Deitou o "sojeito" no chão, socou um joelho na boca do estômago, e leu-lhe na cara o mandado. Só não disse com que mão tirou do bolso o papel (pois as duas estavam ferradas no pescoço do intimado). Mas é pormenor sem importância esse. Depois fugiu a cavalo. Diz que a arma do oficial de justiça é a pena. O "sojeito" puxa pela garrucha; o oficial puxa da pena, tira o papel do bolso, e – Espere aí! Vá berrando e pregando tiros enquanto eu escrevo; vamos a ver quem pode mais!

Carlyle esqueceu de incluir no seu livro famoso esta categoria do herói obscuro da intimação judicial.

Para realce da sua grandeza de alma, contraposta à ferócia do "sojeito", Jesuíno conta como este lhe apareceu no dia seguinte ao pega. Jesuíno disse consigo: "Vou mostrar como se recebe um inimigo com civilização". Fê-lo entrar, mandou vir café e não tocou na sova. A folhas tantas o homem quis explicar a sua loucura da véspera. Jesuíno interrompeu: "Eu nada tenho contra o senhor, porque o senhor agravou e esbofeteou mas foi o doutor Juiz e é com ele que tem de avir-se".

Com esta sutileza vai traspassando ao meritíssimo a bordoeira velha – porque afinal, como "homem", nunca levou pancada. "Queria só ver esse peitudo que erguesse a mão para mim! Ia parar no inferno!"

CAVALINHOS*
1900

Elsa entrou da rua repuxando com o dedo a gola da blusa de seda carmesim, para refrescar com abanos frenéticos de leque o pescoço afogueado. Falou da procissão, que estivera linda – povaréu, muitas palmas. Disse que nunca vira tanta gente na igreja; que nem se podia respirar, que estava assim! (e apinhava os dedos). Que a filha de Nhá Nica fizera um berreiro dos demônios; que não sabe por que levam crianças à igreja. Depois interpelou o primo:

Por que não foi, Lauro?

– Eu... – ganiu o rapaz derreado na cadeira de balanço.

Não terminou. Entrava dos fundos dona Didi. Elsa, sua filha casada, beijou-lhe a mão, abraçou-a.

– Por que não foi, mamãe, aos cavalinhos, ontem? Esperei-alá. Não imagina o que perdeu! A companhia é ótima.

Não pude, passei mal o dia – dor de cabeça, visitas...

– Pois perdeu. Há lá um menino que é um prodígio, um pouco maior que o Juquinha, completamente desengonçado. Faz trabalhos pasmosos, que contando ninguém acredita. Pega nas duas perninhas e cruza-as na cabeça, aqui na nuca, e com as mãos pula como um sapo. Depois desengonça a cabeça e gira com ela como se a tivesse presa por um barbante. Uma coisa extraordinária! O sujeito do trapézio não trabalha mal. Achei muita graça no Juquinha – era a primeira vez que ele ia ao circo: – "De que é que você gostou mais, meu filho?" –, perguntei.

* Na primeira edição, este conto trazia o seguinte título: "Fragmento de um mundo gorado" e a segunda chamada: "Saleta em casa de D. Didi. Lauro, seu sobrinho, está só, fumando, na cadeira de balanço. 11: dia de procissão. Noitinha. Elsa e a filha casada de D. Didi. Juquinha é o filho de Elsa. O distraído leitor entenderá, se ler e não for peco". Nota da edição de 1955.

– "Gostei mais do homem que se balança na rede e cai na peneira." – A rede é o trapézio e a peneira é a rede de malhas...

Todos riram; a vovó, com delícias; Lauro, complacente – e Juquinha, que estava à janela cuspilhando nos transeuntes, recebeu olhares cheios de amorosa admiração.

Elsa parolou inda um bocado. Depois, voltando-se para o primo:

– Que horas são, Lauro?

– Sete e meia – expectorou o moço, com um pigarro que foi cuspir à janela.

– Quase horas!... Começa às oito. Não vai, mamãe? Vá, a senhora precisa de distrações. É por causa desse aferrolhamento em casa que anda assim magra e amarela. Saia, espaneje-se!

Nisto espocaram foguetes. Elsa contou-os, de dedo para o ar.

– Três! É o sinal. E você, Lauro, vai ou...

– Pode ser que sim, pode ser que não – gemeu o filósofo.

– Diabo de rapaz este! "Pode ser!..." Ó velho de cem anos! Ó caramujo! Desate isso, vá!

– Fazer? Ver trapézios? Meninos desossados? Palhaços?... Iria, se não houvesse lá nenhuma dessas coisas, nem a moça que corre no cavalo, nem o homem do arame, nem...

– Mas que é então que havia de haver?

– Nada. Gente nas prateleiras, cochilando, e no picadeiro um gato morto... a cheirar.

– Só? Ai, que já é mania de originalidade! Pois vou eu. Não tanto pelos trabalhos, como pela troça, o farrancho. Bole-se com um, atira-se uma casca de pinhão noutro, e assim corre a noite alegremente. E quem não fizer isto neste cinismo de terra morre encarangado, cria orelha-de-pau.

Ajeitou sobre o penteado o fichu de sedinha vermelha, deu diante do espelho uns retoques à cara e, com um "Até logo, corujas!", saiu com o Juquinha pela mão.

Dona Didi recolheu.

Lauro ficou outra vez só na saleta, uma perna sobre o braço da cadeira, fumando pensativamente. Zoava-lhe ao ouvido a parolice trêfega da prima. Consultou o relógio: quase oito! Ergueu-se, tomou do chapéu e saiu.

Noite linda. No alto, a lua cheia apascentando um rebanho de nuvenzinhas acarneiradas.

Lauro deambulou a esmo, de mãos cruzadas às costas, batendo o calcanhar com o ponteiro da bengala. Famílias deslizavam pelas ruas, de rumo ao circo; deslizavam como sombras, à luz baça dos lampiões de querosene. Magotes de pretas passavam, taralhando, num rufo de saias engomadas. Iam com pressa, numa açodada ânsia pelas molecagens do palhaço.

E Lauro rememorou os tempos em que também ele se tomava daquela sofreguidão, nos dias magníficos em que o pai anunciava ao jantar: – "Aprontem-se que hoje vamos aos cavalinhos". Com longa antecedência já ele e os irmãos vestiam a roupa nova, punham o gorro de marinheiro e de bengalinha de junco na mão sentavam-se à porta da rua à espera do anoitecer.

Lauro reviu nitidamente o Laurinho de outrora, trotando para o circo à frente do farrancho, e depois sentado na terceira fila das arquibancadas, com olhadelas gulosas para a última, rente ao pano, onde se repimpavam os moleques. Lá é que era a pândega!

Soava a sineta. O povo pedia o "paiaço". Vinha um "casaca de ferro" espevitar os lampiões. Grosso berreiro: "Arara! Arara! O caradura!". Impassível, o homem graduava a luz dos belgas, um por um, sem pressa; depois pegava da corda e içava aquela coroa de lampiões acesos, aos goles, até meio mastro.

Rompia a música. Bem maçante a música. Dava sono...

Afinal, começava a função e o palhaço entrava como um bólide, pulando às cambalhotas. Tão engraçado!... O relógio dos fundilhos do calção marcava meio-dia. Na cabeça, inclinado para a orelha, o chapelinho de funil, microscópico. Bastava ver o palhaço e Lauro desandava a espremer risos sem fim. A cara caiada, as enormes sobrancelhas de zarcão, os modos, a roupa, tinha tudo tanta graça...

Mas o melhor eram as micagens e as histórias. "Vem cá, seu cara de burro: quem de vinte tira dois quanto fica?" O "casaca de ferro" respondia: "Dezoito, naturalmente". "Ó asno! Fica zero!" O povo estourava de riso – e Lauro com ele...

Vinham depois os trabalhos. Não gostava. O arame, que caceteação! O trapézio, maçante... Mas gostava dos cavalos porque com eles reaparecia o palhaço e mais o Tony.

Oh, como era bom quando havia Tony! A gente estava distraída e de repente *plaf*! Que foi? Foi o Tony que caiu! E cada tombo...

No melhor da festa aparecia um idiota com uma tabuleta: INTERVALO. Era um desmancha-prazeres e por isso objeto de ódio. Todos saíam. Ficava só a mulherada. Lauro cochilava então e às vezes dormia recostado na tábua dura. Ao termo dum quarto de hora voltavam todos, e o papai trazia embrulhos de doces, empadas, pastéis.

A pantomima! Era o melhor. *Os salteadores da Calábria*, *A estátua de carne*...

E a *Maria borralheira*? Vira-a duas vezes, e nunca havia de esquecer aquele desfile de figurões históricos – Garibaldi de muletas, o general Deodoro, Napoleão...

Suas recordações estavam em Napoleão, quando Lauro chegou à praça onde zumbia o circo. Reviu a clássica barraca iluminada por dentro, deixando ver, desenhada no pano, a silhueta dos espectadores repimpados nos bancos de cima. Em redor, tabuleiros com lanternas dúbias a alumiarem as cocadinhas queimadas, os pés de moleque, os bons-bocados; e mulatas gordas ao pé, vendendo; e baús com pastéis, cestas de amendoim torrado, balaios de pinhão cozido. E, grulhantes em torno, os pés-rapados de bolso vazio, que namoram as cocadas, engulindo em seco, e admiram com respeito os "peitudos" que chegam à bilheteria e malham na tábua um punhado de níqueis, pedindo com entono:

– Uma geral!

O encanto de tudo aquilo, porém, estava morto, tanto é certo que a beleza das coisas não reside nelas senão na gente.

NOITE DE SÃO JOÃO
1900

– A fogueira!

Confluem todos para ela. A palhaça de milho sotoposta à lenda miúda que lhe serve de intestinos vê-se ateada em fogo pelos quatro lados. O fogo pega e é a princípio indecisa crepitação acompanhada de leve e discreto fumegar. Depois, estrepitante, estala e de dentro da prisão de toros, que quatro espeques de jiçara mantêm em forma, escorados nos encruzes, rola em bojos um fumo espesso.

Panos de labareda esgarçam-se, tentando seguir a fumaça faulhenta em seu vertiginoso arranco para o alto. Vermelho clarão ilumina o terreiro e chapeia os vultos de debruns de cobre polido.

Barulham gritos, palmear de crianças, apupos e vivas, aos quais os bambus do recheio casam os seus estouros de bomba. A faiscalha ascendente galga o céu recamado de estrelas, qual invertido chuveiro.

O frio fino da noite atrai para a fogueira os fandanguistas de mãos espichadas para o calor irradiante. Mãos e pés. Um dilúvio de pés entanguidos – pés de marmanjões, pés calçados e pés no chão, pezinhos de crianças, pés brancos, pés pretos, e pés mulatos – das criadinhas e molecotes crias da casa – em alegre confraternizar apinham-se junto a ela nas mil atitudes do "aquentar fogo".

As crianças furtam-lhes os tições a jeito, e guiadas pelas mais peraltas dividem-se em grupos para queimar traques da China ou bichas de rabear. O ar estreleja ao estalo daqueles, enquanto estas ziguezagueiam pelo chão, chiando faíscas, como buscapezinhos de Liliput. À porta da casa escorva-se o primeiro pistolão de cor.

– Caminho, gente! "Evai" fogo!

Abre-se uma ala por onde, num repuxo de faíscas, jorra a primeira bomba dum verde de doer nos olhos. O esverdeamento da cena atrai todos os olhares, seguido de espontâneo e sincero "Bonito!". Vem outra mais forte, vermelha, e outra azul, e outra branca... A cada *blaf* há um volver geral de caras, e ao último um "Que pena! Outro! Outro!". E os pistolões se sucedem, com rebuliços na molecada ao fim de cada um para a disputa do canudo.

Aqui o quadro perde a unidade. De cada lado cenazinhas pitorescas dividem a atenção.

– Mamãe, Zequinha queimou eu!

Um menino aparece berrando, a sacudir um dedo enegrecido pelo chamusco da bicha que o irmão, "de propósito", lhe atacara em cima. Açodem mulheres, que rodeiam a criança com exclamações de piedade. Uma velhota lembra o querosene como o melhor porrete para queimadura. Surge a lamparina de petróleo às mãos duma criadinha, e conserta-se o dedo ao Jojoca, que, mal sarado, ainda fungando e soluçando, lá se volta às bichas, seguido de longe pelos olhares ressabiados do Zequinha, ao qual a mãe, estalando os dedos, ameaçou com um "amanhã você me paga!".

Num grupo de taludotes conspira-se visivelmente. Tudo ali são meias palavras e cochichos: *busca-pés... no meio do povo... vai ser uma pândega!...*

Noutro, de fedelhinhos, o Zequinha se faz centro de minuciosa atenção, e no silêncio só quebrado por um ou outro soluço do Jojoca, desmancha pistolões à cata das bombas, distribuindo a pólvora pelos amigos.

Nisto, rebentam palmas no grupo dos moços.

– Bravo! Viva a sanfona!

Era o Quim da Venda que chegava a espremer um velho dobrado na sanfona fanhosa. Rodeiam-no; "inspiram-no" com uma vez de caninha, e cada qual vai pedindo a música da sua predileção. Quim sorri perguntando: "Mas afinal que é que meceis querem?".

Teve maioria uma *Não te esqueças de mim* – "muito dançante", na opinião de Sinhazinha Lopes –, a cujos primeiros acordes os pares se uniram de peito e iniciaram o giro valsado em torno à fogueira. Aos ouvidos das moças ressoam as eternas amabilidades do galanteio.

Em certo magote comenta-se:

– Parzinho jeitoso, a Miloca e o Lulu, não?

– E gostam-se desde meninos; ouvi dizer que ele já a pediu.

– Histórias. Quem foi pedida, um dia destes, foi a Nenê. Mas parece que o sujeitinho levou tábua.

– Bem feito! Tenho birra àquele coisinha. *Pensa* que é gente... Não viu o que andou dizendo de mim? Como coisa que eu era capaz de dar confiança a um moleque daquela marca...

A sanfona gemia cadenciada, com o Quim deitado sobre ela, alheio ao mundo. Tocava bem, o ladrão, sobretudo quando lhe graduavam o estro com sábias doses de pinga. Aqueles sons ritmavam o movimento dos pares, enlanguecidos num misto de amor e bem-estar físico. Perto deles inutilmente espocavam as bichas e chiavam fogos; nem sequer lhes atraía os olhos o *puf!* balofo dos derradeiros pistolões.

Súbito, chiou ao longe um busca-pé de limalha que, qual raio epiléptico, enveredou pelo meio do povo aos corcovos, criando o pânico e a debandada. Os dançarinos fugiram espavoridos, com as damas penduradas ao peito, e a meninada prorrompeu em atroadora grita – meio medo, meio contentamento. Os velhos protestaram igualmente, que era uma patifaria, que aquilo não se fazia. No meio da desorganização geral só não largou o posto o Quim, sempre deitado na sanfona, alheio ao mundo, absorto nas sonoridades fanhosas que sua alma de artista bárbaro ia arrancando ao instrumento querido.

Cessado o pânico com o estouro final do busca-pé, surgiu um tio Pedro, de porretinho em punho, para "ensinar" o malvado.

Quem foi? Quem não foi?

Não fora ninguém; ninguém vira.

Ferviam ainda o comentário e a indignação, quando apareceram duas criadas carregando bandejas com xícaras e bules.

– A gengibrada! "Evem" a gengibrada!

Foi água na fervura. Todos se esqueceram do busca-pé para só se lembrarem da garganta. Era a vez de consertar os gorgomilos e matar no ovo a possível constipação. Por minutos um soprar de xícaras e um chuchurrear com estalos de língua dominaram todos os barulhos.

– Está supimpa!

– Isto regenera o fígado.

– Corrobora, pois não.

– Mais uma xícara, dona Lulu?

– Ardidinha, mas boa que dói!

– Está *d'apetite*, como diz o Eça.

Este comentário saiu do literatelho da roda, Júlio da Silva de nome, Julius d'Altamira no pseudônimo com que desovava sonetos semanais nas folhas da terra. A Candoquinha, de há muito pelo beiço, encantou-se com a frase.

– É da pele, este seu Júlio!

Bem gengibrados, dispersaram-se de novo.

O Quim anunciou quadrilha, que foi organizada num ápice. Quem a marcava era o Júlio. Ah, o Júlio tinha tanta graça para marcar...

– "En avant turco I" – "Grande chaine!" – "Tour, à pas de 'porca'!"

Gargalhadas, *quiás, quiás, quiás*. A Candoca fundia-se de gosto.

– Este seu Júlio tem cada uma!...

Certa ex-musa do poeta não se conteve:

– Credo, Candoca! Você está escandalosa.

– Deixe. Isto é pra quem pode... – "Joujou d'enfant!" – "Grande confusion!" – "Tour!"

– Seu Júlio, outra vez "Joujou d'enfant"!

– Arre, Candoca!

Para lá da fogueira enchia-se um grande balão. A criançada rodeava-o, acotovelando-se, na ânsia de ver melhor. O Zequinha era quem punha a mecha e distribuía tabefes aos atrapalhadores.

O bojo multicor encheu-se dum fumo sujo.

– Está pronto, pode largar!

– Ainda não, bobo! Falta gás...

– Agora!

Sentindo-o com força, o "segurador" largou-o, e o balão hesitante subiu a prumo.

Rompeu o berreiro.

– Viva o balão! Viva Santos Dumont!

O Júlio, que nesse momento estilizava o décimo "tour" com sua "vis-à-vis" a Candoca, aproveitou a ensancha para poetar.

– O amor, dona Candoca, é como o balão: quanto mais rápido sobe, mais rápido desaparece.

– Adorável pensamento para um cartão-postal! – suspirou ingenuamente a menina, envolvendo-o num olhar de mel.

Nisto a fogueira desmoronou, golfando para o céu escuro bulcões de fagulhas vivíssimas.

– Bonito! Parece o Vesúvio!

O Júlio incontinênte "cascou" para a Candoca.

– Sabe como Deus criou as estrelas? Mandou que os anjos cortassem grandes florestas e armassem enorme fogueira da altura do Himalaia. Acendeu-a e, quando tudo estava em brasa, despegou um pedaço do céu e arremessou-o contra ela. Ergueu-se então um repuxo imenso de faíscas, que foram subindo, foram subindo, até se grudarem na abóbada negra do firmamento...

– Lindo! Há de escrever isso no meu álbum, esse lindíssimo pensamento, sim? O que é ter alma de poeta...

E Candoca lambuzou-o de um novo olhar de mel, onde não se sabia o que mais babava, se o amor, se a admiração pelo esteta...

O PITO DO REVERENDO*

1906

Itaoca é uma grande família com presunção de cidade, espremida entre montanhas, lá nos confins do Judas, precisamente no ponto onde o demo perdeu as botas. Tão isolada vive do resto do mundo que escapam a compreensão dos forasteiros muitas palavras e locuções de uso local, puros itaoquismos. Entre eles este, que seriamente impressionou um gramático em trânsito por ali: *Maria, dá cá o pito!*

Usado em sentido pejorativo para expressar decepção ou pouco-caso, e aplicado ao próprio gramático, mal descobriram que ele era apenas isso e não "influência política", como o supunham, descreve-se aqui o fato que lhe deu origem. E pede-se perdão aos gramaticões de má morte pelo crime de introduzir a anedota na tão sisuda quão circunspecta ciência de torturar crianças e ensandecer adultos.

O reverendo tomou do estojo os velhos óculos de ouro, encavalgou-os no batatão nasal e leu pausadamente a carta do compadre, que dava notícias, pedia-as, e comunicava a próxima ida para ali do doutor Emerêncio do Val, "nosso ministro em Viena d'Áustria, homem de muito saber e distinção de maneiras, um desses diplomatas à antiga, como já os não há nesta república que etc. etc.", em viagem de recreio pelo interior, a matar saudades do país.

O reverendo coçou o toitiço com dedos sornas e releu a carta demorando o pensamento nos trechos que pintavam o alto figurão itinerante, em via de honrar-lhe a casa com a sua nobilíssima presença.

* Este conto foi publicado na Revista do Brasil, n. 42, de junho de 1919, com o título "Gramática viva" e o subtítulo "De como se formam locuções familiares". Nota da edição de 1955.

Verdade é que dispensava tal honraria, boa seca à pacatez do seu viver abacial, repartido entre missinhas de cinco mil-réis (mais um frango), cachimbadas de muito bom fumo de corda e os pitéus (senão ainda a ternura, como propalavam as más-línguas) da ótima caseira e afilhada, a Maria Prequeté. Culpa toda sua, aliás. Quem lhe mandara a ele possuir a melhor casa de Itaoca e ser, modéstia à parte, um homem de luzes notórias, autor de vários acrósticos em latim?

Já doutra feita hospedara um eloquente inspetor agrícola e, logo depois, o tal sábio que colecionava pedrinhas – grande falta de serviço! Um diplomata agora... Ahn! A coisa variava...

Que viesse, respondeu ao compadre, mas não esperasse encontrar na roça desses "confortos e excelências de vida que é de hábito nas grandes terras".

Escrita a resposta, foi o reverendo à cozinha conferenciar com a caseira sobre a hospedagem e longamente confabularam sobre o pato a sacrificar-se (se o patão de peito branco ou aquele mais novo com que a viúva do João das Bichas lhe pagara a missa, a gatuna); sobre a toalha de mesa e a roupa de cama; sobre o tratamento a dispensar – Vossa Excelência, Vossa Senhoria ou Vossa Diplomacia.

Após longo bate-boca, salpicado de injúrias em calão e algum latim, assentaram no pato da missa, na toalha de renda e no Vossa Excelência.

Combinadas essas minúcias, uma nuvem de nostalgia ensombrou a nédia cara do reverendo. Os olhos penduraram-se-lhe no vago, saudosos, e de lá só desciam para envolver, com ternura viciosa, o velho pito de barro que lhe fedia na mão.

Notou a Prequeté aquelas sombras e:

– Acorda, boi sonso! Amode que está ervado?...

O reverendo abriu-se. Era o pito. Eram já saudades do velho pito... Pois não ia privar-se desse amigo de tantos anos durante a estada do "empata"? Tinha educação. Não desejava impressionar mal a um homem de raro primor de maneiras. E o pito, se é bom, é também plebeu e, mais que plebeu, chulo.

Reconhecia-o, reconhecia-o...

Entretanto, três, quatro dias – sabia lá a quantos iria a seca? – de abstenção forçada, sem que a boca sentisse o bendito contato do saboroso canudo amarelo de sarro?... Doloroso...

E o reverendo sorveu com delícia uma baforada maciça. Tragou-a. Depois, recostada a cabeça ao espaldar, semicerrados os olhos, semiaberta a boca, deixou-se fumegar gostosamente, como piúca de queimada. Coisas boas da vida!...

Mas que remédio? O homem fora diplomata e em Viena d'Áustria! Confabulara com arquiduques e cardeais. Homem de requintes, portanto. Era forçoso transigir com o pito, o rico pito, o amor do pito. Sim, porque a dignidade do clero antes de tudo! Lá isso...

Uma semana depois nova carta anunciava que "o tal das Europas" em tal data repontaria por ali.

Grande alvoroço de saia e batina. A Prequeté arregaçou as mangas – braços a Machado de Assis tinha a morena! – e pôs de pernas para o ar a casa. Varreu, esfregou, escovou tudo, demoliu teias de aranha, limpou o vidro do lampião, matou o pato e desfez com decoada os muitos pingos de gema de ovo que constelavam a batina do padrinho.

– Arre, que até parece uma gemada! – reguingou ela, entre repreensiva e caçoísta. Depois, relanceando-lhe o olhar pelo alto da cabeça:

– Chi!... A coroa está que é uma tapera! – exclamou.

E, expedita, *zás! zás!* deu nela uma alimpa de tesoura.

– E o breviário? – inquiriu de súbito o padre.

Andava de muito tempo sumido, o raio do livro; procura que procura, descobrem-no afinal no quarto dos badulaques, feito calço duma cômoda capenga. A Prequeté – maravilhosa caseira! – com uma dedada de banha pô-lo escorreito e envernizado, a fingir com tanta perfeição uso diário que nem Deus desconfiaria da marosca.

– Que mais? – disse ela depois, plantando-se a distância para uma vista de conjunto no seu restaurado padrinho. E como de alto a baixo tudo estivesse a contento: "Está mesmo *pshut!*", concluiu, brejeira, borrifando-lhe por cima um chuvilho de Água Florida, para disfarçar o ranço.

Ficou o padre um amor de reverendo, liso e bem amanhado como cônego de oleografia. Ele próprio o reconheceu ao espelho e, nadando nas delícias daquele carinho sem par – e muito agradável a Deus, pois não! –, sorriu-se babosamente, acariciando-a no queixo:

– Esta marota!

Conclusa a arrumação, da coroa do padre à cozinha, postou-se a Prequeté de vigia à janela, indagando os extremos da rua, enquanto o reverendo, lindo como no dia da sua primeira missa, passeava pela saleta a chupar as derradeiras cachimbadas.

Súbito,

– "Evem" vindo o *reis*! – exclamou a atalaia.

O reverendo meteu o pito na gaveta, passou a mão no breviário e assumindo cara de circunstância rumou para a porta da rua. Instantes depois defrontava-o um cavaleiro. O padre correu a segurar-lhe a rédea e o estribo.

– Queira apear-se V. Excia., que esta choupana é de V. Excia. Sou o padre vigário de Itaoca, humilde servo de V. Excia.

O diplomata, como que ressabiado com tão respeitosa acolhida, deixou-se descavalgar. Mas sem garbo, esquerdão e reles, como aí um pulha qualquer.

Entrou.

Trocaram-se rapapés, palacianos da parte do reverendo, mal achavascados (quem o diria?) da parte do cortesão que conversara arquiduques e cardeais. Houve etiquetas revividas, sempre claudicantes do lado diplomático. Houve cerimônia.

Mas o doutor não era positivamente o que se esperava. Já no físico desiludia. Em vez duma fina figura de mundano, saíra-lhes um magrela de barba recrescida, roupa surrada, chambão e alvar. Enfim, pensou lá consigo o reverendo, o hábito não faz o monge. Quem sabe, sob aquelas aparências vulgares e talvez rebuscadas, não luzia o espírito de um Talleyrand ou as manhãs dum Metternich?

Foram para a mesa e no decurso do jantar acentuou-se a desilusão. O homem comia com a faca, baforava no copo, chupava os dentes. Um puro pai da vida.

Observando-o por cima dos óculos, o reverendo piscava para a caseira, que, da cozinha, pela fresta da porta, torcia o nariz à pífia excelência excursionista. Ao trincar o pato, desastre. O doutor deixou cair no chão um osso, que logo apanhou, muito encalistrado. Depois, às voltas com a asa do palmípede, falseou-se-lhe a faca, resultando espirrar-lhe à cara um chuvisco de arroz. A Prequeté por sua vez espirrou lá dentro uma risadinha de mofa, acompanhada dum mortificante *ché*!...

O reverendo entrou-se de dúvidas. Era lá possível que o doutor Emerêncio do Val fosse um estupor daqueles?

À sobremesa caiu a conversa sobre a política, e o doutor desmanchou-se em bobagens graúdas. Enquanto asneava, o padre ia matutando lá consigo:

– E eu com cerimônias, e eu com bobices, e eu querendo até privar--me do pito por amor a um cretino destes! Fumo-lhe nas ventas e já!

Nisto veio o café. Enquanto o ingeriam, o doutor entrou a falar de remédios, farmácias e projetos de estabelecimento.

O reverendo, decifrando o mistério, deteve a xícara no ar.

– Mas... mas então o senhor...

– Sou farmacêutico, e vim estudar a localidade a ver se é possível montar aqui uma botica. Portei em sua casa porque...

O padre mudou de cara.

– Então não é o doutor Emerêncio, o diplomata?

– Não tenho diploma, não senhor, sou farmacêutico prático...

O padre sorveu dum trago o café e refloriu a cara de todos os sorrisos da beatitude; desabotoou a batina, atirou com os pés para cima da mesa, expeliu um suculento arroto de bem-aventurança e berrou para a cozinha:

– Maria, dá cá o pito!

PEDRO PICHORRA
1910

Quem dobra o morro da Samambaia, com a vista saturada pela verdura monótona, espairece na Grota Funda ao dar de chapa com uma sitioca pitoresca. E passa levando nos olhos a impressão daquela sépia afogada em campo verde: casebre de palha, terreirinho de chão limpo, mastro de Santo Antônio com os desenhos já escorridos pela chuva e a bandeira rota trapejante ao vento. Dois mamoeiros no quintal apinhados de frutos; canteiros de esporinhas com periquito em redor e manjericões entreverados. Um pé de girassol magro e desenxabido, a sopesar no alto a rodela cor de canário; laranjeiras semimortas sob o toucado da erva-de-passarinho.

Nos fundos da casa vê-se o lavadouro, descoivarado apenas, num poço onde o corgo rebrilha três palmos d'água. Sobre um tabuão emborcado a meio, lá está batendo roupa a Marianinha Pichorra, mulher do Pedro Pichorra, mãe de nove Pichorrinhas. É ali o sítio dos Pichorras e até a Grota Funda já é conhecida por Fundão da Pichorrada.

Por que os antigos Pereiras de Sousa, do Barro Branco, vieram a chamar-se Pichorras?

É toda uma história.

Pedrinho ia aos onze anos. Já se destabocara e já preferia, em matéria de fumo, o forte, bem melado. Na véspera realizara o sonho de toda criança da roça – a faca de ponta. Dera-lhe o pai como um diploma de virilidade.

– Menino, de ora em diante você é homem. Agredido, não gritará por gente grande; é mão na faca, pé atrás e corisco nos olhos.

Não lhe falou assim o pai, mas leu Pedrinho essa fala na lâmina rebrilhante. Por isso irradiava de orgulho, imaginando pegas, aloites, tempos-quentes e tocaias onde a "sardinha" alumiasse.

O pai, naquele momento de pé na soleira da porta, assuntava o céu. Viu que chover não chovia – e:

– Pedrinho! – gritou para os fundos.

– Pai?

– Vá pegar a égua.

O menino passou mão do cabresto e mergulhou no pasto. Minutos depois repontava trotando em pelo a Serena, égua velha, de muita barriga mas aguentadeira.

– Dê milho, do mole, e arreie.

O pequeno debulhou duas espigas no embornal e, enquanto a égua mascava o lambisco, alisou-a, ajeitou-lhe no lombo pisado um saco velho, depois a carona, o lombilho, o pelego.

– Não coche demais a barrigueira. Tem potrinho.

O menino folgou dois dedos o arrocho e esperou um bocado, enrolando o cigarro, até que a Serena parasse de mastigar. Por fim, arrumou o freio e montou.

– Agora você vai no sítio do Nheco e diz praquele tranca que dou o capadete pelos vinte e cinco mil-réis.

Pedrinho abriu cara de quem estranhava a ordem.

– Sozinho?

– Ué! E a faca, então? Não é "companheiro"?

O argumento valeu. Pedrinho, sem mais palavra, deu rédea e, *lept! lept!*, arrancou estrada afora.

O pai, alisando maquinalmente um palhão de milho, acompanhou-o com os olhos até perdê-lo de vista na primeira curva. Depois monologou:

– "Sozinho"? Ué! Até quando? Precisa acostumar. Onze anos. E homem. Eu com dez varava sertão.

Pedrinho trotava pela fita vermelha da estrada, sobe e desce morro, quebra à direita, à esquerda, *pac, pac, pac*... Ia pensando na volta. Teria tempo de transpor a figueira antes de escurecer? A figueira... Passavam-se ali coisas de arrepiar o cabelo. Pela meia-noite – diziam – o capeta juntava debaixo dela sua corte inteira para pinoteamento de um samba infernal. Os sacis marinhavam galhos acima em cata de figuinhos, que disputavam aos morcegos. E os lobisomens, então? Vinham aos centos focinhar o estéreo das corujas. Almas penadas, isso nem era bom falar! Quando o Quincas da Estiva contava casos da figueira, não havia chapéu que parasse na cabeça.

Mas de dia, nada; passarinhada miúda só, a debicar frutinhas. Foi o que o menino viu naquela tarde ao cruzar com a árvore. Mesmo assim passou rápido e encolhidinho – por via das dúvidas.

Chegou ao Nheco ainda com sol e deu o recado.

Nheco, marotíssimo, cocou o cabelo de milho da barbicha e embromou:

– Pois não. Mas... "não vê" que o toicinho baixou. De Minas tem descido um "poder" de capadaria que mete medo. De sorte que você diga pro pai que nestes "causos" eu não sustento o trato. Se ele quiser vinte e três mil-réis... Diga assim, ouviu? Vinte e três, ouviu?

Pedrinho desandou para trás, pensando consigo: "Safado!". E veio todo o caminho absorvido em xingar mentalmente o aproveitador.

Ao defrontar com a figueira o medo agarrou-o. Escurecia. A luz do céu estava morrendo, pálida no alto, laranja esmaiada no poente. Por felicidade cruzaria a figueira antes da noite. Fechou os olhos, conjurou o encardido Santo Antônio da família e transpôs dum galão o passo perigoso.

– Arre!... – exclamou com desabafo, olhando para trás e vendo a árvore maldita diminuir de porte. E *pac, pac, pac*, estrada em fora, rumo ao sítio paterno.

Mas escureceu e, já perto de casa, vai senão quando a égua empina a orelha e passarinha.

– Égua velha passarinhou é saci! – sugeriu dentro dele o medo. E o menino retransido viu de repente no barranco um saci de braços espichados, barrigudo, *"com um olho de fogo que passeava pelo corpo"*.

– Nossa Senhora da Conceição, valei-me!

Assustado por aquele berro, o "olho do saci voou pelo ar, piscando"...

Pedrinho bateu em casa de cabelos em pé, olhos saltados. Agarrou-se com o pai, trêmulo, sem fala. A custo desfez o nó da língua.

– O saci, pai!...

– ?

–... Pra cá da figueira... na curva... Barrigudinho... preto...

O pai deu-lhe água na cuia.

– Sossegue um pouco, menino.

E depois duma pausa:

– Você está bobeando, Pedrinho. Não há saci destas bandas.

– Juro, pai! Por Deus do Céu que vi.

E contou a viagem por miúdo, até a aparição.

– Altinho? Pretinho? – indagou o pai.

– Pretinho era, mas chatola, barrigudo, assim que nem pichorra grande.

– Então não é saci – concluiu o velho, entendidíssimo em demonologia rural. E depois:

– Fedeu enxofre?

– Não.

– 'ssobiou?

– Não.

– Mexeu do lugar?

– Não. Só o olho. O olho andava e voava.

O caboclo refletiu um bocado, até que por fim uma ideia lhe iluminou a cara.

– Onde foi isso – pra cá do corguinho?

– É...

– No barranco?

– É...

– O olho andou e depois voou, piscando?

– Tal e qual...

– E o corpo ficou parado?

– Isso mesmo...

O velho clareou a cara e, desmanchando as rugas da testa, disse rindo:

– O que mais não se aprende neste mundo!... Sabe o que você viu, menino? Você viu o saci pichorra...

E mudando de tom, depois de refletir durante um par de minutos:

– "Quedele" a faca?

– Pra quê? – perguntou o menino, desconfiado.

– Deixe ver, dê cá a faca.

Pegou dela e pô-la à cinta. E, ríspido:

– Vá dormir.

Pedrinho, compreendendo a degradação, ergueu-se com lágrima nos olhos.

– E a faca?

– Fica comigo. Pra você, porqueirinha, é canivete marca anzol ainda.

E com infinita ironia:

– Vá dormir, Pedro Pichorra!...

O menino recolheu-se, sacudido de soluços. O velho pegou do borralho um tição para acender na brasa viva o cigarro. Baforou uma fumaça com o pensamento no falecido sogro Chico Vira, o caboclo mais medroso da Estiva.

– Por quem havia de puxar o Pedrinho, pelo Chico Vira...

E assim o rebento masculino dos Pereiras do Barro Branco virou, por troça do próprio pai, o tronco duma nova família, essa Pichorrada que hoje põe a nota sépia da sitioca na verdura da Samambaia. Tudo porque a velha Miquelina havia deixado naquele dia a pichorra d'água a refrescar ao relento à beira do barranco, e um vagalume-guaçu pousara nela por acaso, justamente quando o menino ia passando...

CABELOS COMPRIDOS
1904

– Coitada da Das Dores, tão boazinha...

Das Dores é isso, só isso – boazinha. Não possui outra qualidade. É feia, é desengraçada, é inelegante, é magérrima, não tem seios nem cadeiras, nem nenhuma rotundidade posterior; é pobre de bens e de espírito; e é filha daquele Joaquim da Venda, ilhéu de burrice ebúrnea – isto é, dura como o marfim. Moça que não tem por onde se lhe pegue, fica sendo apenas isso – boazinha.

– Coitada da Das Dores, tão boazinha...

Só tem uma coisa a mais que as outras – cabelo. A fita da sua trança toca-lhe a barra da saia. Em compensação, suas ideias medem-se por frações do milímetro, tão curtinhas são. Cabelos compridos, ideias curtas – já o dizia Schopenhauer.

A natureza pôs-lhe na cabeça um tabloide homeopático de inteligência, um grânulo de memória, uma pitada de raciocínio – e plantou a cabeleira por cima. Essa mesquinhez por dentro. Por fora ornou-lhe a asa do nariz com um grão de ervilha, que ela modestamente denomina verruga, arrebitou-lhe as ventas, rasgou-lhe a boca de dimensões comprometedoras e deu-lhe uns pés... Nossa Senhora, que pés! E tantas outras pirraças lhe fez que ao vê-la todos dizem comiserados:

– Coitada da Das Dores, tão boazinha...

Das Dores só faz o que as outras fazem e porque as outras o fazem. Vai à igreja aos domingos de livrinho na mão, ouve a missa, ouve a prédica, reza. Nunca falhou um dia. Se lhe perguntarem o porquê daqueles atos, responderá, muito admirada da pergunta:

– Mas se todas vão!

O grande argumento de Das Dores é esse: as outras. Ouve o sermão do padre e chora nos lances trágicos, não porque compreenda algo daquela retórica, nem porque sinta vontade de chorar – mas porque as outras choram.

Toma tudo quanto ouve ao pé da letra, incapaz que é de galgar do concreto ao abstrato. Se ouve falar em "fazer pé de alferes", fica a pensar em pés e mãos de alferes e tenentes.

– Tão boazinha a Das Dores...

Uma vez foi à prédica de um padre em missão pela zona, orador famoso pelas muitas almas que desatolara do chafurdeiro de Satanás. Ouviu-lhe muita coisa que não entendeu, mas entendeu um pedacinho que terminava assim: "Meditai, meus irmãos, refleti em cada uma das palavras das vossas orações quotidianas, pois do contrário não terão elas nenhum valor".

Das Dores saiu da igreja impressionada com o estranho conselho e se foi de consulta à tia Vicência, velha sabidíssima em mezinhas e teologias.

– Tia Vicência "viu" o que o seu cônego disse? Pra gente pensar em cada palavra senão a reza não vale?...

A tia mastigou um "pois é" que dava toda a razão ao padre.

– Que coisa, não? – foi o comentário final de Das Dores, que continuava a achar esquisitíssima aquela ideia.

À noite era seu costume rezar umas tantas orações preventivas dos mil males possíveis no dia seguinte. Mas até ali as rezara qual um fonógrafo, *psi, psi, psi*, amém. Tinha agora que pensar nas palavras. Diabo! Havia de ficar engraçada a reza...

Caiu a noite.

Das Dores meteu-se na cama, cobriu a cabeça com o lençol e deu início à novidade. Abriu com o Padre-Nosso.

– *Padre-Nosso que estais no céu*; padre, padre; os padres, padre Pereira, padre vigário... Padre Luís... Coitado, já morreu e que morte feia – estuporado!... Padre... Que ideia do seu cônego mandar a gente pensar nas palavras! Nem se pode rezar direito...

–... *nosso*; nosso é o que é da gente; nossa casa; nossa vida; nosso pai... Pra quem seria que foi o Nosso-Pai ontem? Para a Nhá Veva não é, que ela já melhorou. Seria para o Major Lesbão? Coitado! Quem sabe se a estas horas já não está no outro mundo? Bom homem, aquele... Tão caridoso... O diabo! Estou me distraindo! "Nosso", "nosso"... Em certas palavras não se tem jeito de pensar...

–... *que estais no céu*: estar no céu, que lindeza não será! Os anjos voando, as estrelinhas, Nossa Senhora tão bonita com o Menino no braço, os santos passeando de lá para cá... O céu; céu; céu da boca; céu azul. Por que será que se diz céu da boca?

– ... *santificado*, san-ti-fi-ca-do; que é santo; dia santificado, dia santo...

– ... *seja vosso nome*; nome; nome bonito... Nome feio! Quantos tapas levei na boca por dizer nomes feios! Quem me ensinava era aquela bruxa da Cesária. Peste de negrinha! Onde andará ela? "Nome de gente"; "nome de cachorro". Gustavo, bonito nome. Está ali um que se quisesse... Mas nem me enxerga, o mauzinho; é só a Loló praqui, a Loló prali, aquela caraça de broa... Gustavo é o nome de homem mais bonito para mim. De mulher é... Rosinha? Não. Merência? Não... "Home", a falar verdade nenhum. Gustavo. Gustavinho... Ahn, que sono!

– *O pão nosso*; pão; pão... Por que será que quando a gente repete muitas vezes uma palavra ela perde o jeito e fica assim esquisita? Pão; pão; pã-o... Por falar em pão, como anda minguando o pão do Zé Padeiro! E que pão ruim! Azedo... Pão sovado; pão de cará; pão de Petrópolis...

– ... *de cada dia*; dia; dia; marido da noite; dia de sol; dia de chuva; dia das almas; dia de anos; dia bonito... E que dia bonito fez ontem! Vão ver que domingo chove. É sempre assim. Havendo uma festinha, chove mesmo. Amanhã, se fizer bom dia, vou à casa da Iná. Coitada da Iná! Acontece cada coisa nesta vida...

– ... *dai-nos hoje*; hoje, hoje... Que é que eu fiz hoje? Ahn! Que soneira!

– ... *e livrai-nos Senhor*; senhor; ilustríssimo senhor Gustavo de Silva. Bonito nome! Senhor amado; Senhor morto; senhor; se-nhor, nhor, nhor-se...

– ... *de todo o mal*; mal; mal... mal... al...

Os olhos de Das Dores fecharam-se, o corpo moleou e seu sono foi um só até romper o dia. Ao despertar lembrou-se logo do caso da véspera. Sorriu. Achou que a ideia do cônego – um padre de tanta fama! – não passava de grossa asneira. E pela primeira vez na vida duvidou.

– Ora, titia – foi ela dizer à tia Vicência –, aquilo é asneira. Se a gente for pensar em cada palavra, não pode rezar direito. O cônego que me perdoe, mas ele disse uma grande bobagem...

Não se sabe se a tia lhe deu razão ou não; mas o fato é que Das Dores continuou a rezar pelo sistema antigo, mais rápido, mais correndo e com certeza mais agradável a Deus. Quem se saiu mal do incidente foi o pobre missionário. Cada vez que se referiam a ele perto de Das Dores, ela floria a cara de uma risadinha irônica.

– Está aí um que pode estar dizendo as coisas que eu...

E concluía a frase com o mais convencido muxoxo de pouco-caso.

O "RESTO DE ONÇA"*
1923

– Leram o conto de Alberto de Oliveira?

– O imortal?

– Sim.

– Perdemos alguma coisa?

– Não perderam coisa nenhuma, que aquilo é maçador. Confesso que bocejei de enfado e, consoante velho costume, passei-o à minha cozinheira, velha mulata sabidíssima, parenta da cozinheira de Molière.

– "Josefa, lê-me isto e bota opinião. "

A excelente criatura lavou as munhecas, diminuiu o gás ao fogão, acavalou no nariz os óculos através de cujos vidros costuma coar-se-lhe para o cérebro todo o rodapé dos jornais e albertizou-se durante meia hora. Ao cabo, veio ter comido.

– "Pronto, sinhozinho, está lido."

– "E que tal? "

Josefa tem um maravilhoso paladar quituteiro. Seus tutus com torresmo, o picadinho que ela faz, as moquecas!... São puríssimas obras de arte capazes de rematar de inveja ao próprio. Vatel, se Vatel acaso ressuscitasse. Pois bem: o mesmo gênio que a Zefa demonstra na confeição de uma obra-prima culinária, revela-o no julgamento das coisas de literatura. Tem o faro que não falha do rato, o qual entre cem queijos escolhe sempre o melhor. Por essa razão, quando me sinto em dúvidas apelo para o seu juízo instintivo e acato-lhe a sentença como emanada da própria Minerva.

---

* Na primeira edição, o conto mencionado foi atribuído a Artur Pecegueiro. Na publicação de *Obras Completas,* essa informação foi alterada por Monteiro Lobato. Nota da edição de 2007.

– "Então, Zefa?" – insisti.

Ela refranziu os lábios num muxoxo.

– "Não fede, nem cheira" – disse –; "é virado de feijão velho mexido com farinha mal torrada. Falta sal, tem gordura demais – parece comida feita por menina da Escola Normal" – concluiu, com sorriso de veterano ao ouvir falar em proezas de recruta.

– "Mas, Zefa, que diz o homem, afinal de contas?"

– "Não diz nada; engrola, engrola, vai pra lá, vem pra cá e a gente fica na mesma. É dos tais perobinhas da miúda que outro dia mecê chamou... como é mesmo?... pici... pici."

– "... cólogos, psicólogos. Os homens dos estados d'alma. Penso como você, Josefa. Quero conto que conte coisas; conto donde eu saia podendo contar a um amigo o que aconteceu, como o fulano morreu, se a menina casou, se o mau foi enforcado ou não. Contos, em suma, como os de Maupassant ou Kipling..."

– "Ou de seu Cornélio Pires..."

– "Perfeitamente, do Cornélio, do Artur Azevedo, contos onde haja drama, comédia ou pelo menos uma anedota original. Mas estas pretensiosas águas panadas, este fantasiar por páginas e páginas sem lance que arrepie os cabelos ou repuxe músculos faciais, esta gelatina insossa da Academia de Letras de Itaoca..."

Josefa, quando lhe falam na Academia de Itaoca, regala-se toda, e toda se expande em risos. Ficou assim desde que leu a *Condessa Hermínia* e outras imortalices quejandas.

– "E então este seu Alberto também é imortal, dos tais que escrevem homem sem h?"

– "É, Zefa, é imortal vitalício, com patente e direito de podar os *hh* da língua e comer o *s* de ciência, e – o que é pior – com privilégio de maçar a humanidade com sornices pacóvias, que só não engolem criaturas como tu, sãs de paladar e sinceridade."

E a conversa recaiu sobre contos. Disse um da roda:

– Contos andam aí aos pontapés, a questão é saber apanhá-los. Não há sujeito que não tenha na memória uma dúzia de arcabouços magníficos, aos quais, para virarem obra de arte, só falta o vestuário da forma, bem cortado, bem cosido, com pronomes bem colocadinhos. Querem vocês a prova? Vou arrancar um conto ao primeiro conhecido que entrar.

E pusemo-nos de tocaia.

Não tardou muito, surge o Cerqueira César.

– Viva! Fazia-te ainda no sertão, homem – comecei eu.

– Pois estou cá. Cheguei ontem, refeito, oxigenado, reverdecido de alma e corpo. Que delícia o sertão!

– Muita caçada?

– Dez queixadas, três onças... E, por falar, já ouviram vocês a história do "Resto de Onça"?

– "Resto de Onça?!" – exclamamos, aparvalhados.

César gozou o nosso espanto. Depois narrou.

– Estávamos organizando uma batida às onças. Quem tudo dirigia era lá o meu capataz, Quim da Peroba, o mais terrível caçador das redondezas. Quando é ele quem dirige o serviço, a bicharia sofre destroço pela certa, tão hábil se mostra na escolha dos companheiros, dos cães e das disposições estratégicas.

– "Vai" – dizia o Quim contando nos dedos –, "vai o Nico, vai o Peva, vai o 'Resto de Onça'..."

– "Resto de Onça"? – exclamei eu, tão aparvalhado como vocês inda agora. – "Que diabo de bicho é esse?"

Quim sorriu e disse, depois de sacar uma palha:

– "É um pedaço de homem; um homem a quem a onça comeu uma parte e que continua a viver com o resto do corpo. Pois assim mesmo ainda é um cuera que eu não troco por três sujeitos inteiros da cidade. Mecê vai ver."

De fato, vi. Tudo organizado, na véspera da caçada, à tarde, o primeiro a apresentar-se foi "Resto de Onça".

– "Stardes".

Era um caboclo chupado, sem o braço direito, sem um olho, sem um pedaço de cara. Horrível! Uma bochecha fora lanhada e despegara com parte dos lábios e um dos olhos, de modo que aquilo por ali era uma só pavorosa cicatriz, repuxada em várias direções. Entreabriu a camisa: no peito, a mama esquerda, arrancada a unhaço, era outra horrível cicatriz de arrepiar.

Pedi-lhe que contasse a sua história. "Resto" não se fez de rogado.

– "Não vê que" – foi dizendo – "lá na fazenda do Coronel Eusébio, na beira do sertão, havia onça que era um castigo. Foi preciso bater nelas, de cachorrada e chumbo, um ano inteiro para livrar o gado. O coronel tanto lidou que venceu. As que não caíram mortas afundaram para longe. Mas ficou uma. Era uma bela onça-pintada, matreira como cachorro-do-mato. Tinha manhas de negro fujão. Nem mundéu, nem cachorro mestre, nem o Leopoldino Onceiro, que é um cabra-macho para desiludir uma bicha mesquinha, nunca puderam atinar com ela de jeito a barrear a volta do apá com um lote de paula-souza. Escapava sempre e de birra vinha pegar os porcos no chiqueiro.

Um dia – o coronel estava na mesa almoçando – rebentou uma tormenta no chiqueirão, detrás da casa. Corremos todos: estava a onça ferrada na mais bonita porca da fazenda, já moída com um munhecaço. Corre que corre, grita, atira: – ela escapuliu.

O coronel virou bicho e jurou que seria a última vez.

– 'Ela volta' – disse eu –, ela não desiste da porca. O melhor é ficar um bom atirador de plantão, dia e noite.'

– 'Pois fica você.'

Fiquei na tocaia, escondido de jeito que a onça não pudesse desconfiar.

Varei a noite de olho aceso: nada. Rompeu a manhã: nada. Eu disse comigo:

– 'Agora dou um pulo lá dentro, bebo café e volto.'

Fui, engoli um cafezinho com mistura, depressa, depressa; mas quando voltei... quedele a porca? A onça tinha me logrado!...

Quando soube da coisa, o coronel bufou que nem queixada em mundéu.

– 'Quim' – disse ele –, 'vá juntar gente e cachorrada. Bote um exército aqui pra domingo, e vamos picar de bala essa malvada. Quero ver o couro dela aqui no chão, com seiscentos milhões de diabos!'

Eu saí, corri a vizinhança e apalavrei para domingo tudo quanto era espingarda, foice e cachorro de cinco léguas de roda.

Chegado o momento, começou uma batida em regra.

Tudo corria bem, senão quando, de repente, *au!*, *au!*, o meu Brinquinho – conheci a voz! – acuou primeiro de todos. E logo a cachorrada inteira, uns cinquenta – *au! au! au!* –, música de arrepiar a gente. Ah, moço, que festa foi esse dia! A bicha de cada tapa esmigalhava um cão... Ia parando na carreira, de tocaia atrás dos troncos e mal o cachorro dianteiro fronteava, ela *baf!*, tripas de fora! Um castigo...

Já levara um tiro, mas nem conta fez; e, assim, fugindo, ia arrasando os cachorros onceiros. Eu corria na frente, seco por ganhar a glória da caçada, e por via disso me distanciei dos companheiros. De repente, sem ver nada, *paf!*, um manotaço de unha na cara me pinchou de costas no chão; um corpo caiu sentado em cima de mim. Ah, mundo! Que luta aquela! Eu com os braços só defendia a cara, que se a onça me aboca era o fim; e, como a espingarda me ficasse debaixo do corpo, minha porfia era passar a unha nela.

O que me salvou foi a coragem do Brinquinho. Como os caçadores e os outros cães ainda não tivessem chegado, só ele me ajudava, latindo com desespero e ferrando o dente nos traseiros da fera. A cada dentada a onça se voltava para estapear o cachorro, que fugia – que fugia para atacar de novo logo que a onça virava pra mim.

Tudo isto que levo agora um tempão contando se passou num corisco de minuto. Lá em certo momento pude alcançar a faca – faquinha à toa de matar porco. Saquei a faca e casquei no pescoço da bicha. Quem disse enterrar? Vergou, a porqueira, como se fosse de lata, sem calar nem a pontinha! Me vi perdido. 'Ferra, Brinquinho!' Aquela pessoa de quatro pés, com uma coragem louca, *zás!*, outra dentada. A onça me folgou, e eu vi romper do mato o primeiro caçador. Era justamente meu sogro.

– 'Atira, Nhô Vado!' – gritei.

Que atirar nada! O raio do maleiteiro ficou tão estuporado de me ver na goela da onça, que estarreceu no lugar.

– 'Atira, Nhô Vado!'

Que nada! Nisto houve jeito de eu desentalar a espingarda e entrouxar o cano na boca da onça. Estrondei o tiro; a bicha moleou de banda.

Eu estava em pedaços, mas não sentia dor nenhuma. Só me lembro que, ainda no chão, puxei a espingarda de dentro da boca da onça, virei o cano pro lado do meu sogro e sapequei nele o segundo tiro, junto com um nome ofensivo à defunta avó da minha mulher, Deus que me perdoe! De reiva... Depois veio a dor e perdi os sentidos."

"Resto de Onça" tomou fôlego.

– "E fiquei assim. O braço direito, sem carne, sem osso inteiro, foi preciso o médico cortar com a serra; a cara e o peito foram sarando e fiquei assim, resto de onça, caco de gente, mas homem ainda pra escorar o diabo!"

– Então, que lhes dizia eu? – comentou, voltando-se para os companheiros, o que prometera extrair um conto ao primeiro conhecido que passasse.

– Sim – retrucou o ranzinza do grupo –, mas não é bem um conto, não passa dum caso, duma anedota de caçador.

– Está enganado. Tem todas as qualidades do conto e tem a principal: poder ser contado adiante, de modo a interessar por um momento o auditório.

Dê ao fato forma literária, umas pitadas de descritivo, pronomes por ali, uns enfeites pimpões e pronto! – vira conto dos autênticos, dos que não secam a paciência da humanidade com a arquimaçadora psicologia do senhor Alberto de Oliveira...

POR QUE LOPES SE CASOU
1903

– Pois, meu caro – dizia Lucas ao seu amigo Lopes –, fiz essa asneira, casei-me.

– E és pai duma legião...

– Tenho doze filhos e já alguns avos do décimo terceiro.

– E tudo quanto produz o teu trabalho some-se em bugigangas, leite, farinha, cueiros, fraldas, cavalinhos de pau...

– Um trabalho de negro cativo mal dá para mantê-los no pé de decência que minha posição requer. E é uma voragem a minha casa. Quando entro numa sapataria é para comprar doze, quatorze pares de sapatos! Das lojas nunca trouxe fazenda aos melros, é às peças. De feijão, gasto meia saca por quinzena. Uma voragem!

– E se visses que jararaca me saiu minha mulher... Uma fera, Lopes! Dessas que lançam com prato à cara do marido se este torce o nariz ao quitute. É feia, desleixada, lambona, cabelos despenteados, um fedelho aos berros no braço, as chinelas a se arrastarem pela casa, *trec, trec, trec.* Traz à cinta a penca de chaves e um rabo de tatu que até a mim inspira respeito. Dirige o movimento da casa a lambadas. Grita sem parar, deblatera, diz nomes, arranca a orelha às criancinhas. É um despotismo de saias a serviço dum estado de sítio que suprimiu o meu poder marital, o meu pátrio poder, o meu poder animal de homem, e me põe na casa humilde e caladinho, de orelhas murchas como um lazarento burro de carroça. Felizmente o trabalho na repartição afasta-me da inferneira oito horas por dia. É quando vivo. Mas logo que a tarefa termina e volto para a geena, ah, Lopes, nunca saberás com que angústia o faço... O lar! Falam poetas nas delícias do lar, no remanso do lar... A avaliar pelo meu, o lar é círculo que esqueceu ao Dante. Em caminho para o "remanso do lar" rememoro tudo o que me espera. No topo da escada, de mãos à cintura, a minha tremenda metade em atitude de juiz em face do réu.

– "Trouxe a pimenta? Comprou o sabão? Chamou o homem para consertar a torneira?"

E se acaso me esquece alguma coisa, lá desaba o temporal.

– "É isto. Não presta para nada, não sei por que casou, já que não serve nem para trazer da cidade um pão de sabão de cinza para a burra da mulher que fica em casa a se matar de trabalho", e *tá, tá, tá*. Não imaginas a minha vida, Lopes...

Arrepiado ante as confidências do amigo, Lopes alvitrou certas soluções desesperadas.

– Em teu caso, Lucas, eu recorria a meios extremos, ao divórcio, à bolinha...

– Caçoa, caçoa. Eu também caçoava...

– Mas, Lucas, estás a exagerar. Dou de barato que seja assim. Mas há compensações. Os filhos, por exemplo, as sãs alegrias da paternidade...

– Os filhos... Tem muita graça o primeiro, o segundo e ainda o terceiro. Depois, do quarto ao décimo segundo... que pestinhas infernais! Destroem tudo, põem a casa imunda, vivem num corrupio de travessuras capazes de endoidecer um santo. Não sei se os filhos dos outros são assim, mas os meus batem os recordes. Há um, senhor Lulu, que prenuncia novo Atila. Diverte-se em quebrar, furar, judiar, escangalhar o que encontra. Ontem procurei um livro – livro de contas, sossega! – e fui encontrá-lo no quintal, dentro duma poça d'água, à guisa de barragem de dique. Só em louça quebrada esse patife me dá um rombo de quarenta mil-réis por mês.

E não é só ele.

O Eduardinho tem a mania de encafuar os talheres nos buracos dos ratos, nas frestas do assoalho.

Outro se especializou em quebrar os dentes aos garfos. Chegamos à perfeição de ter em casa apenas um garfo com quatro dentes! Já as facas são uma dentadura completa. Quem é o dentista? O senhor Lulu.

Aparece uma cadeira com três pernas. Quem foi o carpinteiro? O senhor Lulu.

A Inazita tem a bossa da costura. Está praticando no corte... Em pilhando a tesoura, esconde-se nos cantos e vai picando o que encontra. Há dias recortou um corpinho no oleado da mesa, um oleado adquirido na véspera – e tão caro...

O Leandro é o homem da balística. Vive com o papo da camisa cheio de pedregulho e cacos de telha – "tentos", diz ele – e brinca de partir vidraças aos vizinhos. Tem, para mal meu, mão certa como o Guilherme Tell.

O Lucas, esse chora. Chora doze horas por dia, à toa, por brincadeira. É o rei da manha, mas daquelas manhas intermináveis que deixam os nervos da gente em carne viva.

O Bentinho, que é torto, o coitado, já fuma pontas de cigarro e coleciona nomes feios apanhados na rua.

O mais velho foge de casa pela janela e entra de madrugada. Anda-me sorumbático, com umas perebas suspeitas.

O Juvenal...

– Para um bocado, Lucas. Deixa-me tomar fôlego e fazer uma observação. Sendo assim como dizes, travessos, insubordinados, insuportáveis, a culpa é só tua. E que lhes não dás a devida disciplina, não os corriges, não lhes torces o pepino no tempo propício, homem!

– Será, mas que queres? Não posso, não tenho energia. Sou uma tapera, um homem arrasado que me fiz fatalista para ter uma filosofia que me dê paz à consciência. Bem me acusa ela de inépcia e frouxidão extrema... Às vezes vêm-me ímpetos de reagir, entrar em casa de guatambu em punho e ir deslombando às cegas a escadinha inteira, coisa de começar no frangote das perebas e acabar nos seis gatos ladrões do Chiquinho, com escala pelos cães sarnentos do Manuel, pelos canários azucrinantes do Júlio e pelas bonecas de pano de Mariquinha. Moê-los em massa, a granel e ir entregar-me à polícia e pedir ao júri, de joelhos, trinta deliciosos anos de paz e silêncio no fundo duma cela. Mas fica em ímpetos. Sou uma tapera, incapaz dum movimento enérgico...

O pobre Lucas consultou o relógio e assustou-se.

– Três horas! Minha cara-metade deve estar furiosa. Adeus, Lopes, vou-me ao "repouso do lar" – concluiu, despedindo-se com um riso amargo.

E foi-se o Lucas apressadamente, cheio de pacotes pelos nós dos dedos; embrulhos nos bolsos e um queijo sobraçado...

Lopes ficou imóvel no lugar, com os olhos parados, recordando. Veio-lhe à mente o Lucas de quinze anos antes. Era um rapagão alegre, todo esperanças no futuro e amigo de arquitetar castelos de Espanha. Poetara. Amara uma dúzia de meninas em duas centenas de sonetos parnasianos e por fim elegeu como diva a Nonoca Fagundes, uma loura translúcida, de fala melíflua – Botticelli temperado à moderna, dizia ele.

Era bonitinha, dezessete anos, em pleno viço da beleza do diabo, um mimo de fragilidade grácil, boazinha como não havia outra – boa, "boa constritor"... Muito ingênua e amiga de reticências graciosas, corava a todo instante. Dizia ele: *Moram em suas faces duas rosas Bela-Helena.* Andar saltitante como de sílfide. Um verso dele rezava:

Das plumas tens no andar
a suave macieza...

Lucas amou-a em regra, e sonetou-a inteira dos cabelos aos pés, parnasianamente, nefelibatamente, com lirismo de comover as pedras. Não a tratou antropofagicamente, porque a antropofagia guindada à escola estética ainda não fora inventada.

Sonhou-a ao seu lado, "amiga peregrina de alma e coração", num arroubo perene de felicidade celestial pela estrada da vida afora...

Amou-a três anos seguidos, com o dispêndio duma arroba de versos arrancados à carne viva da inspiração. Bateu-se a punhadas com vários rivais temíveis. Rompeu com a família, que desaprovava o casamento. Cantou-lhe à janela, com muito choro de violão, todas as modinhas do tempo – *Quisera amar-te, Acorda donzela* –, além de outras adrede compostas para aquele fim. Amou-a loucamente, "como só se ama uma vez na vida". Foi desses que dizem em prosa, verso e cochicho: "Ver-te e amar-te foi obra de um só momento". Intercalou em alexandrinos o clássico "anjo, mulher ou visão". Esgotou inteirinho o alforje romântico das imagens enluaradas; recorreu à botânica e assolou o reino vegetal à cata de flores comparativas. Não contente com isso, ainda deambulou pelos céus e mergulhou no oceano em busca de imagens – que nada era bastante à imensidade daquele amor.

Casou por fim e estava reduzido àquilo...

Em vista do que, Lopes, que andava noivo e irresoluto se casaria ou não, tendo já no ativo uma dúzia de sonetos amorosíssimos, decidiu-se incontinênti – casou.

Se tinha de acabar como o Lucas, levasse sobre ele, ao menos, a vantagem de menor cópia de versos à futura cascavel. Porque lhe pareceu que o maior sofrimento do Lucas havia de ser o remorso da enorme bagagem de versos pré-nupciais.

E era.

JÚRI NA ROÇA*
1909

Não é meu este caso, mas dum tio, juiz numa Itaoca beira-mar. Homem sessentão, cheio de rabugens, pigarros e mais macacoas da velhice, nem por isso deixa de ser amigo da pulha, como diria Mestre Machado Costa de contar pilhérias e casos de truz, que a meio descambam em canelas reumáticas, muito de apiedar corações sobrinhos.

Os seus domínios jurídicos são o reino da própria Pacatez. Os anos ali fluem para o Esquecimento no deslizar preguiçoso dos ribeirões espraiados, sem cascatas nem corredeiras encrespadoras do espelho das águas – distúrbio, tiro ou escândalo passional. O povo, escasso como penas em frango impúbere, vive de apanhar tainhas e mariscos. Feito o que, "da capo" às tainhas e mariscos.

É extrema a penúria de emoções. Vidas há que ardem inteirinhas sem o tremelique duma comoção forte. Só a Morte pinga, a espaços, no cofre dos acontecimentos, o vintém azinhavrado dum velho mariscador morto de pigarro senil, ou o tostão duma pessoa grada, coletor de rendas, fiscal, agente do correio. Em tempos deu cédula granida, um visconde da Jamanta, último varão consciente de que ficou memória no lugar.

Fora disso, nada mais bole com a sensibilidade em perpétua coma de excelente povo – nem dramas de amor, nem rixas eleitorais, nem coisa nenhuma destoante dos mandamentos do Pasmado Viver.

A taramelagem das más-línguas vê-se forçada, nos serões familiares, ou na venda do José Inchado (clube da ralé), ou na Botica do Cação

---

* "Júri na roça" foi publicado na Revista do Brasil, n. 38, fevereiro de 1919, com o título "O caso do tombo". Nota da edição de 1955.

de Ouro (aqui o escol), a esgaravatar as castanhas chochas do assunto sovado ou frívolo. Sempre conversinhas que não vão nem vêm.

A grande preocupação de todos é matar o tempo. Matam-no, os homens, pitando cigarrões de palha, e as mulheres, gestando a prole enfermiça. E assim escorregam-se para o Nirvana os dias, os meses, os anos, como lesmas de Cronos, deixando nas memórias um rastilho dúbio que rapidamente se extingue.

Nessa lagoa urbana rebentou com estardalhaço a notícia duma sessão do júri. O povo rejubilou. Vinte anos havia que o realejo da justiça popular empoeirava num desvio do Fórum, mudo à falta dum capadócio que lhe metesse no bojo o níquel dum modesto ferimento leve. Fizera-o agora o Chico Baiano, ave de arribação despejada ali por um navio da Costeira. Que regalo! Ia o promotor cantar a tremenda ária da Acusação; o Zezeca Esteves, solicitador, recitaria a *Douda de Albano* disfarçada de Defesa. Sua Excelência o Meritíssimo Juiz faria de ponto e contrarregra. Delícias da vida!

Ao pé do fogo, em casebre humilde, o pai explicava ao filho:

– Aquilo é que é, Manequinho! Você vai ver uma estrumela de gosto, que até parece missa cantada de Taubaté. O juiz, feito um gavião-pato, senta no meio da mesa, num estrado deste porte; à mão direita fica o doutor promotor com uma maçaroca de papéis na frente. Embaixo, na sala, uma mesa comprida com os jurados em roda. E a coisa garra num falatório até noite alta: o Chico lê que lê; o promotor fala e refala; o Zezeca rebate e tal e tal. Uma lindeza!

O assunto era o mesmo na venda do José Inchado.

– Lembra-se, compadre, daquele júri, deve fazer vinte anos, que "absorveu" o Pedro Intanha? Eh, júri macota! O doutor Gusmão veio de Pinda especialmente e falou que nem um vigário. Era só o "nobre orgo do ministério" praqui, o "meretrício doutor juiz" prali. Sabia dizer as coisas o ladrão! Também, comeu milho grosso!, pra mais de quinhentos bagos, dizem. Mas valia. Isso lá valia.

Na Botica do Cação de Ouro o assunto ainda era o mesmo.

– Não, não; você está enganado; não foi desse jeito, não! Ora! Pois se eu até servi de testemunha!... Não teime, homem de Deus!... Sabe como foi? Eu conto. O Pedro Intanha teve um bate-boca com o Major Vaz, perdeu a cabeça e chamou ele de estupor bem ali defronte da Nhá Veva; e vai o major e diz: "Estupor é a avó". Foi então o Pedro e...

Só não gostou da notícia o meu tio juiz. Maçada. Incomodarem-no por causa de um crimezinho tão à toa. E tinha razão. O delito do mulato não valia uma casca de ostra.

Chico Baiano costumava todas as noites "soverter" um martelo da "legítima" no botequim do Bento Ventania. Ficava alegrete, chasqueador, mas não passava disso. Certa vez, porém, errou a dose, e em vez do martelo do costume chamou ao papo três. A pinga era forte; subiu-lhe imediatamente à torre das ideias. A princípio Baiano destabocou. Deu grandes punhadas no balcão; berrou que o Sul é uma joça; que o Norte é que é; que baiano é ali no duro; que quem fosse homem que pulasse para fora etc. etc. O botequim estava deserto; não havia quem lhe apanhasse a luva, a não ser o Ventania; mas este acendeu o cigarro pachorrentamente, trancou as portas na cara do bêbado e foi dormir.

Chico Baiano, na rua, continuou a desafiar o mundo – que rachava, partia caras, arrancava fígados. Infelizmente também a rua estava deserta e nem sequer a minguante a pino lhe dava sombras com que esgrimir-se. Foi quando saltou do corredor da casa dos Mouras o Joli, cachorrinho de estimação da Sinharinha Moura, bicho de colo, metade pelado, metade peludo, e deu de ladrar, feito um bobo, diante do insólito perturbador do silêncio.

O Baiano sorriu-se. Tinha contendor, afinal.

– 'guenta, lixo! – berrou e, cambaleando, descreveu uma "letra" de capoeiragem, cujo remate foi o valentíssimo pontapé com que projetou o totó a cinco metros de distância. Joli rompeu num ganir de cortar a alma, e o ofensor, perdido o equilíbrio, veio de lombo no chão.

A Mourisma despertou de sobressalto, surgindo logo à porta o redondo da Câmara, Maneco Moura, de camisola, carapuça de dormir e vela na mão. Estrovinhado, o homem não enxergava coisa nenhuma desta vida, a não ser o clarão da luz à sua frente.

– Que é lá aí? – berrou ele para a rua.

– É pimenta-cumari! – roncou o mulato já a prumo; e enquanto, esfregando os olhos, o Moura perguntava a si próprio se não era aquilo pesadelo, o facínora desenhou no chão uma figura de capoeiragem chamada “rabo de arraia”. Consequência: o pesado vereador aluiu com vela e tudo, esborrachando o nariz no cimento da calçada.

Era esse o fato sobre o qual ia a Justiça manifestar-se.

Fale o tio:

– Foi uma seca sem nome o tal do júri. O promotor, sequioso por falar, com a eloquência ingurgitada por vinte anos de choco, atochou no auditório cinco horas maciças duma retórica do tempo do onça, que foram cinco horas de pigarros e caroços de encher balaios. Principiou historiando o direito criminal desde o Pitecantropo Erecto, com estações em Licurgo e Vedas, Moisés e Zend-Avesta. Analisou todas as teorias filosóficas que vêm de Confúcio a Freixo Portugal: aniquilou Lombroso e mais “lérias” de Garófalo (que dizia Garofálo); provou que o livre-arbítrio é a maior das verdades absolutas e que os deterministas são uns cavalos, inimigos da religião de nosso país; arrasou Comte, Spencer e Haeckel, representantes do anti-Cristo na terra; esmoeu Ferri. Contou depois sua vida, sua nobre ascendência entroncada na alta prosápia duns Esteves do Rio Cavado, em Portugal: o heroísmo de um tio morto na Guerra do Paraguai e o não menos heroico ferimento de um primo, hoje escriturário do Ministério da Guerra, que no Combate de Cerro Corá sofreu uma arranhadura de baioneta na “face lateral do lobo da orelha sinistra”.

Provou em seguida a imaculabilidade da sua vida; releu o cabeçalho da acusação feita no julgamento-Intanha; citou períodos de Bossuet – a águia de Meaux, de Rui – a águia de Haia, e de outras aves menores; leu páginas de Balmes e Danoso Cortez sobre a resignação cristã; aduziu todos os argumentos do Doutor Sutil a respeito da Santíssima Trindade; e concluiu, finalmente, pedindo a condenação da “fera humana que cinicamente me olha como para um palácio” a trinta anos de prisão celular, mais a multa da lei.

Aqui o tio parou, acabrunhado. Correu a mão lívida pela testa em suor. Negrejaram-se-lhe as olheiras.

– Sinto um cansaço de alma ao recordar esse dia. Como é fértil em recursos a imbecilidade humana! Houve réplica. Houve tréplica. O Zezeca bateu o promotor em asnice. Engalfinharam-se, disputando acirrados o cinturão de ouro do Ornejo. Horror... O borbotão de asneiras era caudal sem fim e o conselho já dava evidentes sinais de canseira. A tantas, um jurado levantou-se e pediu licença para ficar de cócoras no banco, porque, "com perdão da palavra, estava com escandescência". Veja você!...

– Afinal...

– Afinal foram os jurados para a sala secreta. Noite alta já. Os candeeiros de petróleo, com os vidros fumados, modorravam funeriamente. O Fórum, deserto de curiosos, estava quase às escuras. O destacamento policial (dois praças e um cabo) cabeceava, a dormir em pé. Três horas já haviam corrido, de sonolenta expectação, quando da sala secreta saem os jurados com o papelório. Entregam-mo. Corro os olhos e esfrio. Tudo errado! Era impossível julgar com base na salada de batata e ovos que me fizeram dos quesitos. Tive de reenviá-los ao curral do conselho. Expliquei-lhes novamente, com infinita paciência, como deveriam proceder. Façam isto, assim, assado, entenderam?

– "Entendemos, sim, senhor" – respondeu um por todos –, "mas por via das dúvidas era bom que o seu doutor mandasse cá dentro o João Carapina pra nos ajudar."

Abri a minha maior boca e olhei assombrado para o escrivão: "E esta, amigo Chico?". O escrivão cochichou-me que era sempre assim. Em não sorteado o João Carapina, não havia meio de a coisa correr bem na sala secreta. E citou vários antecedentes comprobatórios. Não me contive – berrei, chamei-lhes nomes, asnos de Minerva, onagros de Têmis, e fi-los trancafiar de novo na saleta.

– "Ou a coisa vem conforme o formulário, ou vocês, cambada, ficam aí toda vida!"

Decorreu mais outra hora e nada. Nenhum ruído promissor na sala secreta. Perdi a esperança e acabei perdendo a paciência. Chamei o oficial de justiça.

– "Vá desentocar-me esse Carapina e ponha-mo cá debaixo de vara, dormindo ou acordado, vivo ou morto. Depressa!..."

O oficial saiu, lépido, e meia hora depois voltava com o carpinteiro dos nós górdios a bocejar, estremunhado, de chinelas e cobertor vermelho ao pescoço.

– Senhor João – gritei –, meta-se na sala secreta e amadrinhe-me esse lote de cavalgaduras. Com seiscentos milhões de réus, é preciso acabar com isto!

O carpinteiro foi introduzido na sala secreta.

Logo em seguida, porém, *toc, toc, toc*, batem lá de dentro. O oficial de justiça abre a porta. Surge-me o Carapina com cara idiota.

– "Que há?" – perguntei, escamado.

– "O que há, senhor doutor, é que não há ninguém na sala; os jurados fugiram pela janela!..."

– !!!

– "E deixaram em cima da mesa este bilhetinho para Vossa Excelência."

Li-o. "Senhor Doutor Juiz, nos desculpe, mas nós condenamos o bicho no grau máximo."

Máximo foi a palavra que decifrei pelo sentido: estava escrito "maquécimo".

Levantei-me, possesso.

– "Está suspensa a sessão! Senhor comandante, recolha o réu à... Que é do réu?"

Firmei a vista: não vi sombra de réu no banquinho. O comandante, que estava a dormir de pé, despertou sobressaltado, esfregando o olho.

– "Senhor comandante, que é do réu?" – gritei.

O pobre cabo, com a ajuda dos dois soldados a caírem de sono, deu busca embaixo da mesa, pelos cantos, no mictório, dentro das escarradeiras. Como nada encontrasse, perfilou-se e disse com respeitosa indignação:

– "Saberá Vossa Excelência que o safado escafedeu..."

O relógio da matriz badalava três horas – três horas da madrugada!... Era demais. Perdi a compostura e explodi.

– "Sabem duma coisa? Vão todos à..." – e berrei a plenos pulmões o grande palavrão da língua portuguesa.

– E?...

– E fui dormir.

*GENS ENNUYEUX**
1901

– Queres ir? – indagou Lino, espichando-me um convite. Li: *A Sociedade Científica, ahn, ahn... convida, ahn... a conferência versará sobre a História da Terra.*

– É; a tese é catita; vais?

– Está-me apetecendo conhecê-los aos nossos sábios.

– Sábios – rosnei – *gens ennuyeux...*

– Nem sempre – contraveio Lino. – O assunto é magnífico – e depois, que diabo!, uma penitenciazinha de vez em quando, por amor à ciência...

– Pois vamos – resolvi com intrepidez.

– Às oito, rua tal.

– Lá estarei sem falta.

***

Ao assomarmos à porta já as cadeiras do grande salão se pintalgavam de graves sobrecasacas científicas, encimadas por carecas luzidias, em cujo espelho punha gangrenas de luz (perdão, Apolo!) a luz violácea do arco voltaico.

Entramos com religiosa compostura, pisando com passos humílimos o augusto piso do Pagode da Ciência.

---

* Com este trabalho, Monteiro Lobato, então acadêmico de Direito, concorreu ao concurso de contos instituído pelo jornal *O Onze de Agosto*. Obteve o primeiro lugar tendo sido composto por Amadeu Amaral, Garcia Redonda e Silvio de Almeida. "*Gens ennuyeux*" foi publicado no *O Onze de Agosto*, de 12 de outubro de 1904. Nota da edição de 1955.

No rosto do meu amigo vi uma leve expressão de terror sagrado. Os quíchuas, quando davam de chofre com o Eldorado, haviam de ficar assim... Lino comovia-se deveras e foi balbuciante que cochichou:

– Sábios, hein?

Sentamo-nos devagarinho e pusemo-nos a olhar. Novas sobrecasacas chegavam, aos magotes de três e quatro, compenetradas, pensabundas. Eram novos sábios de variegado estilo. Havia o estilo-fiambre: gente vermelha, com sangue à flor da pele em permanente congestão. O estilo-melado: gênero de importação alemã. O estilo-*ball*: queijos de Palmira com o vermelho substituído por um palor circular de cabelugens ralas. O estilo-clorose: rapazelhos de peito cavo e barba a espontar ingenuamente, macilentos de tez, olhos de bezerro disentérico, em cujas meninas – meninas dos olhos – pareciam boiar hipotenusas de braços dados a binômios de Newton.

A nossa destra suava uma rubra apoplexia alemã, enchouriçada em sobrecasaca de debrum contemporânea do iguanodonte, cujas costuras cediam à pressão das enxúndias comprimidas; sua mão gordita, recoberta de dourados pelinhos, alisava a grelha cor de fogo como quem alisa um gato de luxo.

Mais adiante, um amplo burguês, barbaçudo, verrugoso, bexiguento, fungava a suar.

À sua frente, sorrindo com bondade em meio dum grupinho amigo, uma espécie de criatura do sexo neutro, acondicionada em alpaca, sem um só enfeite e cujos cabelos grisalhos se erguiam em ríspido pericote sob a copa acartolada dum chapéu masculino. Discutia Cuvier.

– E a doutora Mariote... – sussurrou-me o Lino. – Uma sábia sapientíssima!...

Mais além, um oculista de nomeada; depois, um pomólogo; em seguida um filósofo, uma parteira, um charlata, um lente de geometria, um fisiopsicopatologista.

Nós, miserandos intrusos, vexados da nossa espessa ignorância a dois, comentávamos baixinho, com respeitosa deferência, as efígies hirsutas daqueles paredros que davam de tu a Minerva. Lino nem falava: ciciava tatibitate. Aquela face da sociedade nos era de todo desconhecida.

Tudo ali cheirava a novidade. O próprio ar nada tinha do ar comum das ruas: pairava nele um cheirinho sutil a raízes cúbicas.

A frente do salão havia uma comprida mesa em cujo centro o presidente da Sociedade – um rolete de homem cor de salame – cofiava os bigodinhos ruivos, bamboleando no ar pés que não alcançavam o chão. Ladeavam-no dois bonitos secretários a remexerem atas. Sobre a mesa, enfileirada, uma recua de bichos pré-históricos em miniatura – estegossauros, plesiossauros, iguanodontes e um mamutezinho que escancarava a goela vermelha num urro mudo.

– *Dlin, dlin, dlin!...* Está aberta a sessão – rosnou o presidencial salame.

O secretário mascou a ata – *tá, tá, tá...*

– Tem a palavra o conferencista.

Corre pela sala o bisbilho da curiosidade. Galga a tribuna um homem. Roliço e pipote, tem a calva resplandecente, traz casaca, óculos e convicção profunda. Prepara os papéis, tosse.

Novo *psst!* desliza pelo salão. Cai nele o silêncio curioso da expectativa.

– Minhas senhoras e meus senhores! Me parece que a outro e não a mim, que sou o mais modesto membro da Sociedade...

Entreolhamo-nos àquele *me* com piscadelas gramaticais, e entregamos nossos quatro ouvidos às palavras do Sábio. Após o exórdio da praxe, o orador veste o escafandro da observação, apoia-se no pau ferrado da crítica, encavalga na penca os nasóculos da análise e, sem tir-te, cai no mergulho do fundo sombrio das idades. Vai aos períodos *eos* examinar *gneiss* e mícaxistos; mostra exemplares ao auditório, descreve-os com minúcia. Narra como vieram os primeiros vegetais – samambaiuçus enormes e molengos – e como à sombra deles foram surgindo bichinhos tontos, sem experiência da vida, admiradíssimos de verem casa tão grande posta a seres tão pequenos. Fala com a segurança de um feto arborescente, testemunha ocular daquilo, transfeito em sábio moderno. Diz e rediz. Vai e volta – porque o *gneiss* pra aqui, porque o *gneiss* pra lá, porque o *gneiss*, o *gneiss*, o *gneiss*...

Depois agarra os *trilobitas*, os *amonitas* e mói, remói, tremói, pulveriza os pobres bichinhos, digressiona, gesticula, sua: o *amonita... porque o trilobita...* não obstante o *amonita... bita... nita...* e *nita* e *bita*, lá borbota ele ciência pura, híspida, hirsuta, inexorável, num fluxo que berra por tampões de percloreto de ferro.

O tempo corre, e da torneira aberta deflui caudaloso o jorro hermafrodita do palavreado greco-latino. O espelho da sua careca tremeluz de inspiração. Seu dedo pontifical coleia riscos explicatórios. E a linfa científica a jorrar, a jorrar durante quinze, trinta minutos, uma hora, hora e meia...

O esgoelado urro do mamutezinho já não é mais urro, sim bocejo formidoloso. E não o único. Pela sala outros se escancaram, incoercíveis. A doutora reprime os seus com caretas. Algumas sobrecasacas cochilam. O burguês das verrugas resfolga com maior estrépito e mais bagas de suor na testa.

E na tribuna a ciência a correr... a farragem fóssil a desfilar inesgotável numa sarabanda sem fim: – porque o *gneiss*, o *micaxisto*... não obstante o *bita*, o *nita*... os conglomerados da Westfália, as superposições devonianas, a sedimentação terciária, *tá, tá, tá, tá*...

Nesse ponto penetrou na sala um delicioso casal, pisando de leve os passinhos de lã preventivos dos *pssts*. Ele, alto e elegante; ela, mimosa e feminina, tom exótico de teteia cara. Sentam-se. Ele abre os ouvidos. Ela espevita o *lorgnon* e corre os olhos vivos de malícia irônica pela assembleia inteira: pousa-os por fim na figura salpiconesca do orador.

Lino segue-os.

– Que graciosos! – diz, furando-me as costelas a cotoveladas –; repara na ironia daqueles dois diamantes negros. Pousam na careca do homem... alisam-na com bonomia malandra... agora descem, examinam o nariz... Riem-se os marotos – e da verruga talvez... Tentam arrancá-la... irritam-se... fogem da penca... examinam o feitio da sobrecasaca. Bom, deixaram em paz o homem... passeiam pela sala... dão com o chapéu da doutora Mariote... Como se riem perdidamente os moleques!

Enquanto os olhos do meu amigo estudam os maliciosos olhos da linda criatura, barafustam-se os meus pela goela do mamutezinho que o dedo do sábio apontava naquele momento.

– "... e apareceu então" – dizia ele – "um animal de pelos duros e pretos, de presas recurvadas, cujo foi encontrado na embocadura do Iena e se chamou mamute..."

Lino arrancou-me de golpe às goelas do monstro e ao caçanje do sábio.

– Vê como ela boceja com graça.

De fato, a petulante boquinha da moça escondia no leque um bocejo saciado; saciado e contagioso, porque logo em seguida o sociólogo escancarou o seu, o pomólogo lá no fundo abriu outro, e o alemão da nossa direita reprimiu um que prometia levar as lampas ao do mamute.

– Dez horas já! – espantou-se Lino, consultando o relógio. – Há esperanças de fim?

– Qual! – gemi. – Ele ainda está no megatério.

– E é comprido o megatério?

– Enorme. E tem vasta parentela. Só depois de descritos os gliptodontes, os megáceros, os rinoceros e as hienas é que há esperanças de entrarmos na terra do nosso avô pitecantropo. Coragem!

Às dez e mais inda o corrimento paleontológico continuava copioso, sem sintomas de exaustão. Sistemas sobre sistemas amontoavam-se, induções sobre induções, num mascar monótono de realejo elétrico. Nossas nádegas protestavam. Novos bocejos insolentes amiudavam exigências: queriam sair já e já, queriam passagem franca, bocas bem escancaradas – e nós lutávamos por conter-lhes a má-criação.

E o chafariz científico a despejar.

– Há esperanças – sussurrei para o Lino. – Já estamos no *Homo sapiens.*

– Bendito sejas, ó rei da criação!

Era verdade. O sábio penetrara no homem. Mais cinquenta minutos de seca e pingou o ponto, convidando a assistência a examinar de perto os fósseis amontoados sobre a mesa.

Estrepitaram palmas, e após o *uf!* de ressurreição encheu o recinto o sussurro do "à vontade", das cadeiras recuadas, do frufrutar surdo dos capotes enfiados, dos espreguiçamentos risonhos.

– Que gostosura, um fim de seca!

A assistência aflui aos magotes para junto à mesa a fim de examinar os bichos. Fomos na onda. Todos comentavam, queriam pegar, apalpar os fósseis, cheirá-los, prová-los.

Com um estegossauro de palmo e meio seguro pelo cangote, o sociólogo explicava ao pomólogo "de como pela restauração de Cuvier se tinha ali um elo da vasta cadeia da evolução que Darwin descobrira".

Ao centro da mesa o conferencista desfazia-se em amabilidades de caixeiro, fragmentando sua ciência e distribuindo-a em pílulas.

– Olhe, doutor – dizia o filólogo –, olhe a *baculite* de transição de que falei.

E para outro sujeito:

– Já viu, doutor, o magnífico exemplar de *hipurite* que nos veio de Berlim?

Nisto ouvi ao meu lado um resfôlego adiposo; voltei-me: era o burguês das verrugas, com a toucinhenta consorte pelo braço, a examinar uma lasca de pedra azulega que de mão em mão viera ter às suas. O bicharoco olhava a pedra como quem olha talismã. Não resisti, atirei-lhe a esmo:

– E o *gneiss*.

O burguês encarou-me com o respeito devido a Quem Sabe e, virando-se para a mulher, repetiu gravemente:

– Este é o *gneiss*, Maricota.

Dona Maricota tomou-o nos dedos, examinou-o sob todas as faces e em seguida passou-o a uma sua amiga, gaguejando de geológica emoção:

– O *gneiss*, Nhanhã!

Na rua esfumada pela garoa, um friozinho de tiritar. De golas erguidas estugamos o passo, enquanto íamos extraindo a moralidade da festa.

Ciência e Arte nasceram para viver juntas, porque Arte é harmonia e Ciência é verdade. Quando se divorciam, a verdade fica desarmônica e a harmonia falsa. Se este senhor sábio trouxesse pela mão direita a Ciência e pela esquerda a Arte, para fundi-las no momento de falar, que coisa esplêndida não faria de um tal tema! Trouxe uma só e por isso maçou-nos, empanturrou-nos a alma de coisas duras, indigeríveis, misturadas com mil pronomes fora dos mancais. Além disso...

Foi-nos impossível prosseguir na filosofia. Um carro passava estalando rumorosamente as pedras da rua. Dentro vinha a nossa diva.

– Ela...

– A Verdade e a Harmonia...

Nossas bocas emudeceram, porque a imaginação, tomando as rédeas nos dentes, nos levava a galope no encalço da teteia de olhos negros.

O FÍGADO INDISCRETO*

1904

Que há um Deus para o namoro e outro para os bêbados está provado – a *contrario sensu.* Sem eles, como explicar tanto passo falso sem tombo, tanto tombo sem nariz partido, tanta beijoca lambiscada a medo sem maiores consequências afora uns sobressaltos desagradáveis, quando passos inoportunos põem termo a duos de sofá em sala momentaneamente deserta?

Acontece, todavia, que esses deuses, ao jeito dos de Homero, também cochilam: e o borracho parte o nariz de encontro ao lampião, ou a futura sogra lá apanha Romeu e Julieta em flagrante contato de mucosas petrificando-os com o clássico: "Que pouca-vergonha!...".

Outras vezes acontece aos protegidos decaírem da praça divina.

Foi o que sucedeu a Inácio, o calouro, e isso lhe estragou o casamento com a Sinharinha Lemos, boa menina a quem cinquenta contos de dote faziam ótima.

Inácio era o rei dos acanhados. Pelas coisas mínimas avermelhava, saia fora de si e permanecia largo tempo idiotizado.

O progresso do seu namoro foi, como era natural, menos obra sua que da menina, e da família de ambos, tacitamente concertadas numa conspiração contra o celibato do futuro bacharel. Uma das manobras constou do convite que ele recebeu para jantar nos Lemos, em certo dia de aniversário familiar comemorado a peru.

Inácio barbeou-se, laçou a mais formosa gravata, floriu de orquídeas a botoeira, friccionou os cabelos com loção de violetas e lá foi, de

* Na primeira publicação deste trabalho, *Revista do Brasil*, n. 39, março de 1919, vinha o seguinte subtítulo: "Ou o rapaz que saia fora de si". Nota da edição de 1955.

roupa nova, lindo como se saíra da fôrma naquela hora. Levou consigo, entretanto, para mal seu, o acanhamento – e daí proveio a catástrofe...

Havia mais moças na sala, afora a eleita, e caras estranhas, vagamente suas conhecidas, que o olhavam com a benévola curiosidade a que faz jus um possível futuro parente.

Inácio, de natural mal firme nas estribeiras, sentiu-se já de começo um tanto desmontado com o papel de galã à força que lhe atribuíam. Uma das moças, criaturinha de requintada malícia, muito "saída" e "semostradeira", interpelou-o sobre coisas do coração, ideias relativas ao casamento e também sobre a "noivinha" – tudo com meias palavras intencionais, sublinhadas de piscadelas para a direita e à esquerda.

Inácio avermelhou e tartamudeou palavras desconchavadas, enquanto o diabrete maliciosamente insistia: "Quando os doces, seu Inácio?".

Respostas mascadas, gaguejadas, ineptas, foram o que saiu de dentro do moço, incapaz de réplicas jeitosas sempre que ouvia risos femininos em redor de si. Salvou-o a ida para a mesa.

Lá, enquanto engoliam a sopa, teve tempo de voltar a si e arrefecer as orelhas. Mas não demorou muito no equilíbrio. Por dá cá aquela palha o pobre rapaz mudava-se de si para fora, sofrendo todos os horrores consequentes. A culpada aqui foi a dona da casa. Serviu-lhe dona Luísa um bife de fígado sem consulta prévia.

Esquisitice dos Lemos: comiam-se fígados naquela casa até nos dias mais solenes.

Esquisitice do Inácio: nascera com a estranha idiossincrasia de não poder sequer ouvir falar de fígado. Seu estômago, seu esôfago e talvez o seu próprio fígado tinham pela víscera biliar uma figadal aversão. E não insistisse ele em contrariá-los: amotinavam-se, repelindo indecorosamente o pedaço ingerido.

Nesse dia, mal dona Luísa o serviu, Inácio avermelhou de novo, e novamente saiu de si. Viu-se só, desamparado e inerme ante um problema de inadiável solução. Sentiu lá dentro o motim das vísceras; sentiu o estômago, encrespado de cólera, exigir, com império, respeito às suas antipatias. Inácio parlamentou com o órgão digestivo, mostrou-lhe que mau momento era aquele para uma guerra intestina. Tentou acalmá-lo a goles de clarete, jurando eterna abstenção para o futuro. Pobre Inácio! A porejar suor nas asas do nariz, chamou a postos o heroísmo, evocou todos os martírios sofridos pelos cristãos na era romana e os padecidos na era cristã pelos heréticos; contou um, dois, três e *glug!*, engoliu meio fígado sem mastigar. Um gole precipitado de vinho rebateu o empache. E Inácio ficou a esperar, de olhos arregalados, imóvel, a revolução intestina.

Em redor a alegria reinava. Riam-se, palestravam ruidosamente, longe de suspeitarem o suplício daquele mártir posto a tormentos de uma nova espécie.

– "Você já reparou, Miloca, na 'ganja' da Sinharinha?" – disse a sirigaita de "beleza" na testa. – "Está como quem viu o passarinho verde..." – e olhou de soslaio para Inácio.

O calouro, entretanto, não deu fé da tagarelice; surdo às vozes do mundo, todo se concentrava na auscultação das vozes viscerais. Além disso, a tortura não estava concluída: tinha ainda diante de si a segunda parte do fígado engulhento. Era mister atacá-la e concluir de vez a ingestão penosa. Inácio engatilhou-se de novo e – um, dois, três: *glug!* – lá rodou, esôfago abaixo, o resto da miserável glândula.

Maravilha! Por inexplicável milagre de polidez, o estômago não reagiu. Estava salvo Inácio. E como estava salvo, voltou lentamente a si, muito pálido, com o ar lorpa dos ressuscitados. Chegou a rir-se. Riu-se alvarmente, de gozo, como riria Hércules após o mais duro dos seus trabalhos. Seus ouvidos ouviam de novo os rumores do mundo, seu cérebro voltava a funcionar normalmente e seus olhos volveram outra vez às visões habituais.

Estava nessa doce beatitude, quando:

– Não sabia que o senhor gostava tanto de fígado – disse dona Luísa, vendo-lhe o prato vazio. – Repita a dose.

O instinto de conservação de Inácio pulou em guarda. E fora de si outra vez o pobre moço exclamou, tomado de pânico:

– Não! Não! Muito obrigado!...

– Ora, deixe-se de luxo! Tamanho homem com cerimônias em casa de amigos. Coma, coma, que não é vergonha gostar de fígado. Aqui está o Lemos, que se pela por uma isca.

– Iscas são comigo – confirmou o velho. – Lá isso não nego. Com elas ou sem elas, nunca as enjeitei.* Tens bom gosto, rapaz. Serve-lhe, serve-lhe mais, Luísa.

E não houve salvação. Veio para o prato de Inácio um novo naco – este formidável, dose dupla.

Não se descreve o drama criado no seu organismo. Nem um Shakespeare, nem Conrad – ninguém dirá nunca os lances trágicos daquela estomacal tragédia sem palavras. Nem eu, portanto. Direi somente que à memória de Inácio acudiu o caso de Nora de Ibsen na *Casa de bonecas*, e disfarçadamente ele aguardou o milagre.

E o milagre veio! Um criado estouvadão, que entrava com o peru, tropeçou no tapete e soltou a ave no colo de uma dama. Gritos, rebuliço, tumulto. Num lampejo de gênio, Inácio aproveitou-se do incidente para agarrar o fígado e metê-lo no bolso.

Salvo! Nem dona Luísa nem os vizinhos perceberam o truque – e o jantar chegou à sobremesa sem maior novidade.

Antes da dançata lembrou alguém recitativos e a espevitadíssima Miloca veio ter com Inácio.

– A festa é sua, doutor. Nós queremos ouvi-lo. Dizem que recita admiravelmente. Vamos, um sonetinho de Bilac. Não sabe? Olhe o luxinho! Vamos, vamos! Repare quem está no piano. *Ela*... Nem assim? Mauzinho!... Quer decerto que a Sinharinha insista?... Ora, até que enfim! A *Douda de Albano*? Conheço, sim, é linda, embora um pouco fora da moda. Toque a *Dalila*, Sinharinha, bem *piano*... assim...

Inácio, vexadíssimo, vermelhíssimo, já em suores, foi para pé do piano onde a futura consorte preludiava a *Dalila* em surdina. E declamou a *Douda de Albano*.

Pelo meio dessa hecatombe em verso, ali pela quarta ou quinta desgraça, uma baga de suor escorrida da testa parou-lhe na sobrancelha, comichando qual importuna mosca. Inácio lembrou-se do lenço e saca-o fora. Mas com o lenço vem o fígado, que faz *plaf!* no chão. Uma tossida forte e um pé plantado sobre a infame víscera, manobras de instinto, salvam o lance.

* "Iscas com elas ou sem elas" é como os restaurantes portugueses anunciam fígado com ou sem batatas. Nota da edição de 1946.

Mas desde esse momento a sala começou a observar um extraordinário fenômeno. Inácio, que tanto se fizera rogar, não queria agora sair do piano. E mal terminava um recitativo, logo iniciava outro, sem que ninguém lho pedisse. E que o acorrentava àquele posto, novo Prometeu, o implacável fígado...

Inácio recitava. Recitou, sem música, o *Navio negreiro*, *As duas ilhas*, *Vozes da África*, *O Tejo era sereno.*

Sinharinha, desconfiada, abandonou o piano. Inácio, firme. Recitou *O corvo* de Edgar Poe, traduzido pelo senhor João Kopke; recitou *Quisera amar-te*, o *Acorda donzela*; borbotou poemetos, modinhas e quadras.

Num canto da sala Sinharinha estava chora-não-chora. Todos se entreolhavam. Teria enlouquecido o moço?

Inácio, firme. Completamente fora de si (era a quarta vez que isso lhe acontecia naquela festa) e, falto já de recitativos de salão, recorreu aos *Lusíadas*. E declamou *As armas e os barões*, *Estavas linda Inês*, *Do reino a rédea leve*, *o Adamastor* – tudo!...

E esgotado Camões ia-lhe saindo um "ponto" de Filosofia do Direito – A escola de Bentham –, a coisa última que lhe restava de cor na memória, quando perdeu o equilíbrio, escorregou e caiu, patenteando aos olhos arregalados da sala a infamérrima víscera de má morte...

O resto não vale a pena contar. Basta que saibam que o amor de Sinharinha morreu nesse dia; que a conspiração matrimonial falhou; e que Inácio teve de mudar de terra. Mudou de terra porque o desalmado Major Lemos deu de espalhar pela cidade inteira que Inácio era, sem dúvida, um bom rapaz, mas com um grave defeito: quando gostava de um prato não se contentava de comer e repetir – ainda levava escondido no bolso o que podia...

O PLÁGIO
1905

– Você sai, Nenesto, com um tempo destes?

– Não há outro.

– Dia de São Bartolomeu, inda mais?...

– Importa-me lá o santo.

– Está bem. Depois não se arrependa...

Isto dizia dona Eucaris ao "queixo-duro" do seu marido Ernesto d'Olivais, ao vê-lo tomar o chapéu do cabide para sair.

Fora, remoinhava o vento, anunciando tempestade próxima.

Por castigo, nem bem caminhara o teimoso duzentos passos e desaba o aguaceiro. Tão repentino que mal teve tempo de barafustar por um "sebo" adentro, no instante preciso em que o belchior cerrava a última folha da porta. Mesmo assim resfriou-se e foi com três espirros que retribuiu à saudação do homem.

– *Atchim!...*

– Viva!

– *Atchim!...*

– Viva!

– *Atchim...* Brr! Pra burro! Espirro pra burro. *C'est le diable.*

(Século trinta! Se por acaso um exemplar deste livro chegar ao conhecimento dos teus fariscadores de antigualhas, não se assombrem eles com a expressão curralina do meu Ernesto. Nem quebrem a cabeça a interpretá-la com ajuda da filologia comparada, da veterinária e mais ciências conexas. Cá fica a chave do enigma. A expressão "pra burro" viveu correntia pelas imediações da Grande Guerra, com significação de abundante, excessivo ou estupendo. Nascida nalguma cocheira, alargou-se às ruas e passou destas aos salões. Penetrou até na retórica amorosa. Romeus houve que, pintando a formosura das respectivas Julietas, substituíram o arcaico *linda como os amores* por este soberbo jato de impressionismo cavalar: É *linda pra burro!* Não obstante, as Julietas casavam com eles e eram felizes. Lá se entendiam.)

O belchior era francês, e Ernesto taramelava na língua adotiva do senhor Jacques d'Avray o necessário para embrulhar língua com um belchior francês. Sabia diferençar *femme sage* de *sage femme*, distinguia *chair* de *viande* e alambicava a primor os *uu* gauleses. Além disso tinha ciência de vários idiotismos, usando amiúde o *qu'est-ce que cest que ça?*; sabia de cor a história do *Didon dit-on*, além de uma dúzia de prosopopeias de alto calibre, forrageadas nos *Miseráveis* de Victor Hugo – o que já é bagagem glóssica de peso para um carrapato orçamentário com seis anos de sucção.

Tais conhecimentos, mensalmente postos em jogo, bastavam para espezinhar a paciência do livreiro, a quem Ernesto, em todo dia dois de cada mês, tomava alugado um bacamarte de Escrich, matador das horas vazias da repartição.

Naquela tarde, porém, Ernesto não queria livros, sim um teto, razão pela qual falhou o usual encetamento da seca. (Esse ritual começava assim: *Qu'est-ce que vous avez de nouveau, monsieur?*)

Fora, em rogougos sibilantes, o vento pulverizava a chuva.

Tinha de esperar.

Ernesto esperou. Esperou a remexer as estantes, a folhear revistas, a ler a meia-voz os títulos dourados. De longe em longe tomava dum volume e perguntava ao francês acurvado na escrituração de um livro de capa preta:

– *Combien, monsieur?...*

E a resposta do homem repicava invariavelmente:

– *Cest très salé, c'est très salé, cest très salé* – estribilho trauteado em surdina até que novo livro lhe empolgasse a atenção.

Empolgou-lha, logo depois, uma brochura esborcinada: *A maravilha*, de Ernesto Souza.

– Olé! Um xará! *Combien, monsieur?*

O livreiro, sem maior atenção, rosnou qualquer coisa, enquanto Ernesto, absorto no manuseio do livro, ia murmurando maquinalmente o *très salé*...

Leu-lhe o período inicial e o final, vezo antigo adquirido no colégio, onde colecionava num caderninho a primeira e a última frase de quanto livro lhe transitava pela carteira.

A maravilha era um desses romances esquecidos, que trazem o nome do autor à frente duma comitiva de identificações, à laia de passaporte à posteridade, muito em moda no tempo do onça:

ALFREDO MARIA JACUACANGA

(Natural do Recife)

3ª anista da Escola de Medicina da Bahia

ou

DOUTOR CORNÉLIO RODRIGUES FONTOURA

Ex-lente disto, ex-diretor daquilo, ex-membro do Pedagogium,

ex-deputado provincial, ex-cavaleiro da Cruz Preta etc. etc.

Romances descabelados, onde há lágrimas grandes como punhos, punhais vingativos e virtudes premiadíssimas de par com vícios arqui-castigados pela intervenção final e apoteótica do Dedo de Deus – livros que a traça rendilhou nos poucos exemplares escapos à função, sobre todas bendita, de capear bombas de foguetes.

O período final rezava assim: "E um rubro fio de sangue correu do níveo seio da donzela apunhalada como uma víbora de coral num mármore pagão".

Ernesto, *né* de Oliveira mas d'Olivais por contingências estéticas, enrubesceu de apolíneo prazer. E assoou-se, demonstração muito sua de entusiasmo chegado a ponto de arrepio.

– Sim, senhor! Está aqui uma frase soberba! "Como víbora de coral...". Magnífico! E este "mármore pagão"...

Foi ter com o *Monsieur* e leu-lha "com alma"; mas o tipo, absorvido numa edição, miou apenas o *oui, oui,* sem sequer erguer a cabeça.

Ernesto não comprou o livro (não era dois do mês), mas escondeu--o num desvão para que até o dia aquisitivo ninguém lhe pusesse a vista em cima.

Entrementes a chuva amainara.

Ernesto entreabriu a porta para a rua murmure jante e resolveu abalar.

– *Monsieur, au revoir!*

– *Oui, oui* – miou pela última vez o belchior.

Na rua endireitou para casa, ruminado que, sim, senhor, era ter fogo sagrado! Uma frase daquelas fazia um nome. O xará tinha talento. Bem dizia Victor Hugo nos *Miseráveis* que o gênio... é o gênio.

E foi pelo caminho a redizê-la com cariciosa unção, a remirá-la de todos os lados, sob todas as luzes. Degustou-a em surdina inúmeras vezes; pela forma, revendo o jeito com que a fixaram no papel os caracteres tipográficos; pelas correções associadas, evocando vagos helenismos clássicos que o padre mestre Jordão lhe embutira no cérebro a palmatoadas – Frineia, o cão de Alcebíades, as Termópilas, o barril de Diógenes.

Por fim, à noite, já a preciosa frase se lhe incrustara nos miolos, no lugar onde costumavam encruar as ideias fixas. Chegou a repeti-la à dona Eucaris. Mas dona Eucaris, uma criatura sovada, toda virtudes conjugais e preocupações caseiras, interrompeu-o prosaicamente:

– E você trouxe, Ernesto, o pavio de lampião que encomendei?

Ernesto d'Olivais arrepanhou a cara num assomo de dó ante a chinfrinice mental da companheira. Dó, despeito e meia cólera, coisa rara em seu imo de amanuense gomoso e manso.

– Que pavio? Que me importa o pavio? Quem fala aqui de pavio? Ora, não me aborreça com histórias de pavio!

E voltando-se para o canto (que a cena se passava na cama) embezerrou.

O sono dessa noite não foi bom conselheiro, e no dia seguinte Ernesto andou pela repartição mais meditativo que do costume, com olhos parados – olhos de cobra morta que olham sem ver.

É que uma ideia...

Não era bem uma ideia ainda, mas células vagas, destroços vogantes de ideias mortas, lampejos de ideias futuras, coisas tão afins que ao cabo de três dias se englobavam numa ideia-mãe de imperiosa vitalidade.

– Escrever um conto, uma simples "variedade", em linguagem bem caprichada, com floreados bem bonitos, arabescos de alto estilo... Duas ou três personagens – não gostava de muita gente. – Um conde, uma condessa pálida, a cidade de Três Estrelinhas, o ano de 18... Como enredo, uma paixão violenta da condessa de X pelo pintor Gontran –, gostava muito deste nome. – A cena, já se sabe, passava-se em França, que nunca achara jeito em personagens nacionais, vivendo em nosso meio, ao nosso lado. Perdiam o encanto. A narrativa vinha crescendo até engastar-se naquele final... oh, sim!... naquele final, porque, em suma, o conto só viveria para justificar a exibição daquela joia de "celinio lavor". E logo abaixo o seu nome por extenso: Ernesto da Cunha Olivais.

Esse remate furtado ao xará d'*A maravilha* insinuou-se aos poucos na consciência de Ernesto como coisa muito sua, propriedade artística indiscutível.

A maravilha, ora! Um miserável caco de livro cuja existência ninguém conhecia...

Plágio? Como plágio? Por que plágio? É tão comum duas criaturas terem a mesma ideia... Coincidência apenas... E, além disso, quem daria pela coisa?

Ernesto era literato.

"Fazer literatura" é a forma natural da calaçaria indígena. Em outros países o desocupado caça, pesca, joga o murro. Aqui beletra. Rima sonetos, escorcha contos ou tece desses artiguetes inda não classificados nos manuais de literatura, onde se adjetiva sonoramente uma aparência de ideia, sempre feminina, sem pés e raramente sem cabeça, que goza a propriedade, aliás preciosa, de deixar o leitor na mesma. A gramática sofre umas tantas marradas, os tipógrafos lá ganham sua vida, as beldades se saboreiam na cândi-adjetivação e o sujeito autor lucra duas coisas: mata o tempo, que entre nós em vez de dinheiro é uma simples maçada, e faz jus a qualquer academia de letras, existente ou por existir, de Sapopemba a Icó.

Ernesto não fugira à regra. Em moço, enquanto vivia às sopas do pai à espera de que lhe caísse do céu amanuensado, fundara *A Violeta*, órgão literário e recreativo, com charadas, sonetos, variedades e mais mimos de Apoio e Minerva. Redigiu depois certa folha "crítica, científica e literária" com dois *tt*, *O Combatente*, que morreu aos sete meses, combatendo a gramática até no derradeiro transe. Compôs nesse intervalo, e publicou, um livro de sonetos, cuja impressão deu com o pai na miséria.

Incompreendido pelo público, que não percebia o advento de um novo gênio, Ernesto amargou como peroba da miúda, deixou crescer grenha e barba, esgrouviou-se, virou-se e disse cobras cascavéis do país, do público, da crítica, de José Veríssimo e da "cambada" da Academia de Letras. Citava amiúde Schopenhauer e Kropotkine, mostrando tendências para saltar dum pessimismo inofensivo ao perigoso niilismo russo. Foi quando o pai, farto das atitudes teatrais do filho, meteu-o numa roda de guatambu e pô-lo fora de casa com um valente pontapé: – "Vá ganhar a vida, seu anarquista de borra!".

Ernesto, jururu, achegou-se a um tio influente na política e afinal cavou o empreguinho. No empreguinho amou, casou e tomou a seu cargo a seção "Conselhos Úteis" d'*O Batalhador*. Estava nisso quando ventou, choveu, entrou no sebo, pilhou *A maravilha* e patinhou como Hamlet no pego da indecisão, até que...

Ernesto, em tiras de papel de governo, lançou em belo cursivo um lindo começo bem arredondado:

"Era por uma dessas noites de abril, em que o céu recamado de estrelas lembra um manto negro com mil buraquinhos...".

Na roda de orçamentívoros que domingueiramente bebericavam o chá com torradas de dona Eucaris, todos afinados pela cravelha do Ernesto – vítimas imbeles da incompreensão –, o conto estampado n'*O Lírio* causou agradável surpresa. O João Damasceno foi o primeiro a dar-lhe um abraço num vai-e-vem de café.

– Olha, li o teu "Never more" n'*O Lírio*. Esplêndido! O final, então, divino! Tens miolo, meu caro! Pagas o chope?

Nesse dia Ernesto contou à esposa toda a vida do João, terminando cismático: – "É um caráter, Eucaris, um nobilíssimo caráter...".

O capitão Prelidiano, chefe da sua seção, foi comedido e pausado como convinha à eminência do seu tamanco: – "Li o seu trabalho, senhor Ernesto, e gostei; termina com brilhantismo; continue, continue...".

E o Claro Vieira? Fora brutal, esse.

– Que ótimo fecho arranjaste para o teu conto! O resto está pulha, mas o final é *un morceau de roi!*

O que nessa noite dona Eucaris ouviu relativo ao caráter baixo, infame e vil do Claro...

Ernesto entrou-se de receios. Pareceu-lhe que o Claro estava no segredo do "encontro de ideias". Como medida de precaução deu busca aos sebos em cata de quanto exemplar d'*A maravilha* empoava por lá. Encontrou meia dúzia, adquiriu-os e queimou-os, com grande assombro de dona Eucaris, que duvidou da integridade dos miolos maritais ao vê-lo transfeito em Torquemada de inocentes brochuras carunchosas.

Mas nem assim sossegou.

– Quem me assegura não existirem outras, espalhadas aí pelas bibliotecas públicas? Se ao menos houvesse eu variado a forma, conservado apenas a ideia...

Fora audacioso, não havia dúvida. Fora tolo, pois não.

– Sou uma besta, bem mo dizia o pai...

Ernesto arrependeu-se do plagiato – sim, porque, afinal de contas, vamos e venhamos, era um plágio aquilo! Sua consciência proclamava-o de cabeça erguida, reagindo contra as chicanas peitadas em provar o contrário. E Ernesto arrependia-se, sobretudo por causa do "Dizem..." d'*O Cromo*. Constava ser Claro o enredeiro daquelas maldades – e Claro era impiedoso na mofina. Sabia revestir as palavras dum jossá urente de urtiga.

Fizera mal, sim, porque, afinal de contas, um plágio... é sempre um plágio.

Quando no domingo seguinte recebeu *O Cromo*, tremeu ao correr os olhos pelo "Dizem...". Mas não vinha nada e respirou. No "Recebemos e Agradecemos" havia boa referência ao conto, muito elogiosa para o remate.

Também *A Dalila* desse dia trouxe algo: "O conto do senhor F. é um desses etc. etc. O final é uma dessas frases que chispam beleza helênica etc.".

– O final, sempre o final! Estão todos apostados em fazerem-me perder a paciência. Ora pistolas!

Ernesto deblaterou contra os jornalistas, contra os amigos, contra os dez exemplares d'*O Lírio* em seu poder – dez arautos do seu crime. E queimou-os.

Na repartição, a um novo elogio do Damasceno Ernesto rompeu desabridamente.

– Ora vá ser besta na casa da sogra!

Damasceno abriu a boca.

Nas palavras mais inocentes o pobre autor via alusões irônicas, diretas, claras, brutais. Num simples "bom dia" enxergava risinhos de mofa. O próprio capitão Prelidiano, honestíssima cavalgadura incapaz de ironias, afigurava-se-lhe o chefe da tropa.

Conspiravam contra ele, não havia dúvida.

Ernesto pôs-se em guarda. Fugiu dos amigos. Deu cabo do mate domingueiro. Não podia sequer ouvir falar em literatura, o assunto dileto de tantos anos. Emagreceu.

Dona Eucaris, pensabunda, matutava:

– Serão lombrigas?

E deu-lhe quenopódio às ocultas.

– Afinal...

– Afinal? E o diabo ser a vida tão pouco romântica como é! Os casos mais interessantes descambam a meio para o mais reles prosaísmo. Este do Ernesto d'Olivais, por exemplo. Merecia fim trágico, duelo ou quebramento de cara. Quando nada, uma remoçãozinha a pedido.

Mas seria mentir. Nem toda gente encontra, como Ernesto, remates de estrondo à mão.

É o caso deste caso.

Ernesto adoeceu, mas sarou. O quenopódio revelou-se um porrete para o seu mal. Depois, com o decorrer do tempo, esqueceu o plágio.

Os amigos esqueceram o "Never more". *O Lírio* morreu como morrem *Lírios*, *Dalilas* e *Cromos*: calote na tipografia. Ernesto engordou. Já é major. Tem seis filhos. Continua a fazer literatura – clandestinamente, embora. E, se encontrar a talho de foice um novo final de estrondo, plagiará de novo.

Moralidade há nas fábulas. Na vida, muito pouca – ou nenhuma...

O ROMANCE DO CHUPIM*

1923

Ouvíamos no cine a música precursora da primeira fita, quando entrou na sala um curioso casal. Ela, feiarona, na idade em que a natureza começa a recolher uma a uma todas as graças da mocidade, como a lavadeira recolhe as roupas do varal. Tirara-lhe já a frescura da pele e o viço da cor, deixando-lhe em troca as sardas e os primeiros pés de galinha. Tirara-lhe também os flexuosos meneios de corpo, a garridice amável, os tiques todos que, somados, formam essa teia de sedução feminina onde se enreda o homem para proveito multiplicativo da espécie. Quase gorda, as linhas do rosto entraram a perder-se num empaste balofo. Certa pinta da face, mimo que aos dezoito anos inspiraria sonetos, virara verruga, com um sórdido fio de cabelo no píncaro. No nariz amarelecido o *pince-nez* clássico da professora que se preza. Em matéria de vestuário, suas roupas escuriças, mais atentas à comodidade do que à elegância, denunciavam a transição do "moda" para "fora da moda".

Ele, bem mais moço, tinha um ar vexado e submisso de "coisa humana", em singular contraste com o ar mandão da companheira. O estranho do casal residia sobretudo nisso, no ar de cada um, senhoril do lado fraco, servil do lado forte. Inquilino e senhorio; quem manda e quem obedece; quem dá e quem recebe. Ela falava do alto; ele ouvia de baixo e mansinho; caso evidente em que cantava a galinha e o galo chocava os pintos.

Meu amigo apontou o homem com o beiço e murmurou:

– Um chupim.

* Este conto não aparece na primeira edição de *Cidades Mortas*, e sim na segunda, que é de 1920. A sua primeira publicação é na *Revista do Brasil*, n. 51, de março de 1920. Nota da edição de 1955.

– Chupim? – repeti interrogativamente, estranhando a palavra que ouvia pela primeira vez.

– Quer dizer, marido de professora. O povo alcunha-os desse modo por analogia com o passarinho-preto que vive à custa do tico-tico. Conheces?

Lembrei-me da cena tão comum em nossos campos do tico-tico a pajear um graúdo filho de chupim, e pus-me a observar o casal com maior interesse, mormente depois de começada a fita, relíssima salgalhada francesa. Já eles não tiravam os olhos da tela, salvo o marido, que para melhor ouvir algum comentário da esposa não se limitava a dar-lhe ouvidos, dava-lhe olhos também.

– Os chupins – prosseguiu o meu cicerone – são homens falhos, *ratés* da virilidade – a moral, está claro, que a outra lhes é indispensável para o bom desempenho do cargo.

– Cargo?

– Cargo, sim. Eles desempenham o cargo importantíssimo de *maridos*. Em troca as esposas ganham-lhes a vida e dirigem os negócios do casal, desempenhando todos os papéis normalmente atribuídos aos machos. Tais mulheres apenas fazem aos maridos a concessão suprema de engravidarem por obra e graça deles, já que é impossível a revogação de certas leis naturais.

Quando a mulher vai à escola, fica o chupim em casa cocando os filhos, arrumando a sala ou mexendo a marmelada. Há sempre para eles uma recomendaçãozinha à hora da saída para a aula.

– As vidraças da frente estão muito feias. Você hoje, quando as Moreiras saírem, passe um pano com gesso. (As Moreiras são as vizinhas da frente.)

O chupim acostuma-se à submissão e acaba usando em casa as saias velhas da mulher, para economia de calças.

– Para aí, homem de Deus! Do contrário acabas contando a história de um que chegou a dar à luz um crianço!...

A fita chegara ao fim. Surgiu o galo vermelho da *Pathé*, que boleou o pescoço num coricocó mudo e sumiu-se para dar lugar ao reacender das lâmpadas.

A mulher ergueu-se, espanejou-se e saiu, seguida do chupim solícito. Acompanhamo-los de perto, estudando o caso, e na rua, depois que os perdemos de vista, o meu amigo retomou o assunto.

– Em matéria de chupins conheço um caso interessante. Que segui desde os primórdios.

Eduardinho Tavares, filho de tio e sobrinha, nascera sem tara aparente, a não ser extrema dubiedade de caráter, uma timidez de menina do tempo em que a timidez nas meninas era moda. Espécie de criatura intermediária entre os dois sexos.

Em criança brincava de boneca, de preferência às nossas touradas, ao jogo dos "caviúnas", ao "pegador". Em meninote, enquanto os da sua idade descadeiravam gatos pela rua, lia Paulo e Virgínia à sombra das mangueiras, chorando sentidas lágrimas nos lances lacrimogêneos.

Fomos colegas de escola, e lembro-me que um dia lá nos apareceu Eduardo com um papagaio de miçanga verde, obra sua. Eu, estouvado de marca, ri-me daquilo e escangalhei com a prenda, enquanto o maricas, abrindo uma bocarra de urutau, rompia num choro descompassado, como choram mulheres. Irritado, dei-lhe valentes cachações. Eduardo não reagiu; acovardou-se, humilhou-se, feito o meu carneirinho. Só procurava a mim dentre cem companheiros. Acamaradamo-nos daí por diante, o que não me impediu de o fazer armazém de pancadas. Por qualquer coisinha, uma cacholeta. Ele ria-se, meigo, e cada vez mais me rentava. Pus-lhe o apelido de Maricota. Não se zangou, gostou até, confessando achar mais graça nesse nome do que no seu.

Hoje eu estudaria esse tipo à luz de Freud, como caso deveras notável; naquele tempo feliz de sadia ingenuidade limitava-me a tirar partido da sua submissão, transformando-o em peteca, em escravo, em coisa de que a gente põe e dispõe.

Saídos do colégio continuamos camaradas, de modo que pude acompanhá-lo por um bom pedaço da vida afora. Nunca perdeu a timidez donzelesca. Fugia às meninas, sobretudo se eram românticas, ou acentuadamente mulheris – o meu gênero.

Fez-se misógino.

Por essas alturas casei-me – casei-me com a moça mais feminina da época, uma romântica escapulida a Escrich, dessas que têm medo às baratas e caem de fanico se um rato lhes corre pela sala – o meu gênero, enfim.

Eduardo permaneceu solteiro, sempre às sopas do pai, até que este morreu e lhe deixou de herança uns prédios, mais uns títulos. Sem tino comercial, passaram-lhe a perna, comeram-lhe casas e apólices; quando o pobre rapaz abriu os olhos estava a nenhum. Recorrendo a mim para um bom conselho de arrumação de vida, vi que não dava para coisa nenhuma – e receitei-lhe a professora.

– Casa-te. Incapaz de ação como és, tua saída única se resume em tirar partido da tua qualidade de macho. Casa com moça rica, ou, então, com mulher trabalhadeira.

Nada valeu o conselho. Eduardo não tinha jeito para requestar mãos femininas, quer bem aneladas, quer muito calejadas. Embaraçava-o a irredutível timidez.

Mas o diabo as arma.

Um belo dia apareceu na terra uma professora nova, mais ou menos ao molde desta de há pouco. Tipo de mulheraça máscula, angulosa, ar enérgico, autoritária. Gostava de discutir política, entendia de cavalos, lia jornais, tinha ideias sobre a seca do Ceará e o saneamento dos sertões. Apesar de bem conservada, andava perto dos quarenta, não fazendo nenhum mistério disso. Se não se casara até então, não é que fosse infensa ao matrimônio: não achara ainda o seu tipo de homem, dizia.

Pois não é que o raio da pedagoga vê Eduardo e se engraça dele? Examina-o fulminantemente, como quem examina um cavalo; mira-o de alto a baixo, interpela-o, dá-lhe balanço às ideias e aos sentimentos, pesa-lhe o valor monetário, pede-lhe, ou, antes, toma-lhe a mão, leva-o à igreja e casa-o consigo.

Foi um relâmpago tudo aquilo. Em três tempos namorado, noivado, casado e metido no gineceu, o pobre moço, quando abriu os olhos, estava chupim para todo o sempre.

Dona Zenóbia sabia avir-se com a vida. Ganhava-a folgadamente. Além da escola particular que dirigia, tinha a juros um pequeno capital que não cessava de crescer, colocado a quatro ou cinco por cento ao mês, sob garantias de toda ordem. Casada, continuou à testa dos negócios; o marido, se aparecia nominalmente nalguma transação, era proforma.

Encaramujado em casa da professora, Eduardinho foi sonegado ao mundo e o mundo acabou esquecendo Eduardinho. Nunca mais o viram na rua, ou nas festas, sem ser pelo braço da mulher, na atitude encolhida daquele chupim do cinema.

Um filho nasceu-lhes nesse entretempo, e começa aqui o mais engraçado da comédia.

A tantas, dona Zenóbia deu de gabar as qualidades artísticas do esposo. Eduardo era um grande talento literário, capaz de obras deveras notáveis.

– Vocês – dizia ela às professoras do colégio – não sabem que tesouro perderam. Eduardo saiu-me uma verdadeira revelação. É dessas criaturas privilegiadas que possuem o dom divino da arte, mas que às vezes passam a vida inteira sem se revelarem a si próprias. Aqueles seus modos, aquela timidez: gênio puro, minhas amigas! Vocês hão de vê-lo um dia aparecer qual meteoro, alcançar a glória e cair como um bólide dentro da Academia. Está escrevendo um romance que é um suquinho! Lindo, lindo!...

Esse romance levou meses a compor-se. Todos os dias, no quarto de hora de folga que juntava as professoras na saleta de espera, dona Zenóbia vinha com notícias da obra.

– Está ficando que dá gosto! O capítulo acabado esta manhã parece uma coisa do outro mundo!

E desfiava o enredo. Era o caso dum moço loucamente apaixonado por uma donzela de cabelos loiros e olhos azuis. A primeira parte do romance ia toda na pintura desse amor, lindo como não havia outro, puro poema em prosa. E dona Zenóbia revirava os olhos, em êxtase.

As outras professoras acabaram por interessar-se a fundo pelo romance de Eduardo – *Núpcias fatais* –, o qual virará folhetim vocalizado aos pedacinhos, dia a dia, pela pitoresca dona Zenóbia.

A notícia correu pela cidade e isso acabou reabilitando Eduardo da sua fama de Zé-faz-formas, *pax-vobis* e mais apelidos deprimentes de que é fértil o povo.

– Como a gente se engana! – diziam –; parecia uma lesma de pernas, ninguém dava nada por ele e no entanto é um romancista!...

As professoras davam à trela e o enredo das *Núpcias fatais* corria de boca em boca pela cidade, os lances de efeito gabados, com citação das melhores tiradas. *O Popular*, noticiando o aniversário do moço, consagrou-o – "festejado homem de letras".

Dona Zenóbia sabia dosar a narração de modo a manter as professoras suspensas nos lances mais comoventes. Houve um trecho que as pôs pálidas de espanto. Era assim: Lúcia fora pedida pelo rival de Lauro, o galã infeliz. O pai de Lúcia e toda a família queriam o casamento, porque o monstro era riquíssimo, tinha casa em Paris, iate de recreio e um título de conde prometido pelo papa. Já o triste do Lauro, coitado, para cúmulo de desgraça, perdera uma demanda e estava mais pobre que Jó. As cartas em que ele contava isso a Lúcia eram de chorar! Todos contra o mísero e tudo a favor do monstro...

O pai fizera uma cena horrível.

– "Antes ver-te morta do que ligada a esse miserável... poeta!"

E a coitadinha, alanceada no mais dolorido do coração, doida de amor, chorava noite e dia, encerrada no fundo de escura cela.

– Pobre mártir! – exclamavam com um nó na garganta as compassivas professoras. – Por que não há de sair a sorte grande para um desditoso destes? Peça ao seu marido, dona Zenóbia, que lhe faça sair a sorte, sim?

– Não pode. Prejudicaria o desfecho e, ademais, não é estético – respondeu preciosamente dona Zenóbia.

E assim corria o tempo.

O romance era à moda antiga, em vários volumes, sistema *Rocambole*. Já tinha acontecido o diabo. A moça fugira de casa, raptada em noite de tempestade pelo cavaleiro gentil; mas o dinheiro do monstro vencia tudo: foram presos e encarcerados, ela num convento, ele num calabouço infecto.

Mas quem pode vencer o amor? O cavaleiro conseguira, iludindo os guardas, abrir um subterrâneo que ia ter ao convento. Que tarefa ingente! Como as professoras deliraram acompanhando a obra desesperada do homem-toupeira, a escavar com as unhas em sangue a terra fria!

Venceu, porém; alcançou o pavimento da cela onde Lúcia chorava de amor e conseguiu falar-lhe. Que lance este, quando Lúcia percebe o estranho murmúrio da voz subterrânea que a chamava! Era a redenção, afinal!

Entendem-se e combinam a fuga. Um barqueiro esperá-los-ia em tal lugar, à meia-noite etc. etc.

Dona Zenóbia parava nos trechos mais empolgantes, deixando a assembleia ora em lágrimas, ora em arroubos de indizível êxtase. Às vezes, quando estava de saia preta, em seus dias de azedume, não adiantava a novela um passo sequer.

– Hoje, descanso. Eduardo está com um pouco de dor de cabeça e não escreveu uma linha...

As professoras ficavam pensativas...

Chegou por fim o dia da fuga, ponto culminante da obra. Dona Zenóbia, perita na arte de armar efeitos, anunciou-o de véspera.

– E amanhã o grande dia!

– Mas escapam, dona Zenóbia? – indagou uma torturada do romantismo, com a mão no seio palpitante.

– Não sei...

– Pelo amor de Deus, dona Zenóbia! Eu não posso mais! Se o monstro ganha a partida ainda esta vez, diga logo, porque eu tiro umas férias e vou para a roça esquecer este maldito romance que já me está deixando histérica.

– Paciência, filha! Como posso saber o que lá se passa na imaginação do artista?

– Mas peça a ele, peça por nós todas, que desta vez não deixe os espiões do monstro descobrirem os fugitivos. Pelo menos agora. Mais tarde vá, mas agora eles precisam de uns meses de recompensa. Arre, que também é demais!...

No dia seguinte dona Zenóbia apareceu sorridente. As professoras em ânsias, ao vê-la assim, criaram alma nova.

– Então? – exclamaram palpitantes. Dona Zenóbia fez um muxoxo.

– Esperem lá. A coisa não vai a matar. Eduardo neste momento atinge o ponto culminante da obra. Deixei-o com o olhar em fogo – o fogo da inspiração! –, os cabelos revoltos, a cabeça febril. E o momento supremo do *fiat!* Toda obra depende deste fecho de abóbada. Como a solução do caso vem das profundas do subconsciente estético, e ainda não viera até a hora de eu sair, pedi-lhe que me comunicasse o resultado pelo telefone. Esperemos...

As moças puseram os olhos no céu e as mãos no peito.

– Meu Deus! – disse uma. – Estou com o coração aos pinotes! Se Lauro é preso, se os emboscados o matam... O monstro é capaz de tudo!

Nisto vibrou a campainha do telefone. Dona Zenóbia piscou para as amigas estarrecidas e foi atender.

Ficaram todas no ar, imóveis, trocando olhares de interrogação, enquanto no compartimento vizinho dona Zenóbia conversava com o grande artista.

– "Ele não para de chorar, Zenóbia. A meu ver é cólica o que ele tem. Desde que você saiu que é um berro só. Já fiz tudo, dei chá de erva-doce, dei banho quente – nada! Berra que nem um bezerro!"

– "Você já cantou o Guarani?"

– "Cantei tudo, o Guarani, o 'Tutu já lá vem', o 'Somos da pátria a guarda'... Mas é pior."

– "Deu camomila?"

– "A camomila acabou. Quis mandar a negrinha buscar um pacote na botica, mas não achei o dinheiro..."

– "Lerdo! E aqueles dois mil-réis de ontem? Não sobrou metade?"

– "É que... é que comprei um maço de cigarros..."

– "Sempre o maldito vício! Olhe, atrás do espelho, perto da saboneteira azul, está uma pratinha de quinhentos. Mande buscar a camomila, mas no Ferreira, que a do Brandão não presta, é falsificada. Ferva uma pitada numa xícara d'água e dê às colherinhas. Dê também um clister de polvilho. Mudou os paninhos?"

– "Três vezes, já."

– "Verde?"

– "Verde carregado, como espinafre."

– "Bem. Eu hoje volto mais cedo. Faça o que eu disse, e fique com ele na rede. Cante a ária da *Mignon*, mas não berre como daquela vez, que assusta o menino. Em surdina ouviu? Olhe: ponha já as fraldas sujas na barrela. Escute: veja se tem água no bebedouro dos pintos. A marmelada? Ora bolas! Deixe isso para amanhã. Bom, até logo!"

Dona Zenóbia largou o fone e voltou às companheiras, que continuavam suspensas.

– Estes artistas!... – começou ela. – Que é que vocês pensam que Lauro fez?

– Fugiu! – disse uma.

– Deixou-se prender! – aventou outra.

– Suicidou-se! – declarou a terceira.

– Ninguém adivinha. Lauro rompeu o pavimento, entrou na cela e depois de uma grande cena resolveu fazer-se frade!...

Foi um oh! geral de desapontamento. Aquele fim imprevisto decepcionara a todas. Protestaram, e dona Zenóbia, condoída, voltou atrás.

– Estou brincando. Eduardo está hoje com uma dor de cabeça danada e eu o aconselhei a descansar um bocadinho. Ficou para outro dia o fim. Esperemos.

O romance do chupim tem hoje onze anos. Já é menino de escola. Chama-se Lauro e, para reabilitação do sexo barbado, puxou o caráter da mãe.

O LUZEIRO AGRÍCOLA
1910

Sizenando Capistrano, é o inspetor agrícola do vigésimo distrito. Incumbe-lhe fomentar a pecuária, elaborar relatórios, ensinar o uso de máquinas agrícolas, preconizar a policultura, combater a rotina e ao fim de cada mês perceber na coletoria a realidade de setecentos mil-réis.

Antes de inspetor Capistrano fora poeta. Cultivar as musas. Não sabia que coisa era pé de café, mas entendia de pés métricos, pés-quebrados e fazia pé de alteres a todas as divas do Parnaso. Tal cultura, entretanto, emagrecia-o. A sua produção de endecassílabos, alexandrinos, quadras, odes, sonetos, poemas, vilancetes, églogas, sátiras, anagramas, logogrifos, charadas elétricas e enigmas pitorescos, conquanto copiosa, não lhe dava pão para a boca, nem cigarro para o vício. A palidez de Capistrano, sua cabeleira à Neides Maia, sua magreza à Fagundes Varela, seu *spleen* à Lord Byron e suas atitudes fatais, ao invés de lhe aureolarem a face dos nimbos da poesia, comiseravam o burguês, que, ao vê-lo deslizar como alma penada pela cidade, horas mortas, de mãos no bolso e olho nostalgicamente ferrado na lua, murmurava condoído:

– Não é poesia, não, coitado, é fome...

O editor artilhava a cara de carrancas más quando Capistrano lhe surgia escritório adentro com a maçaroca de versos candidatos à edição.

– São versos puros, senhor, versos sentidos, cheios de alma. Virão enriquecer o patrimônio lírico da humanidade.

– E arruinar o meu patrimônio econômico – retorquia a fera. – Do lirismo bastam-me aquelas prateleiras que editei no tempo em que era tolo e não se vendem nem a peso.

– Ó vil metal! – murmurava o poeta, franzindo os lábios num repuxo de supremo enojo. – O mundo vil! O torpe humanidade! Em que te distingues, Homem, rei grotesco da criação, do suíno toucinhento que espapaça nos lameiros? Manes de Juvenal! Eumênides! Musas de Cólera! Inspirai-me versos candentes com que cauterize até aos penetrais da alma este verme orgulhoso e mesquinho! Baudelaire, dá-me os teus venenos...

– Rapazes – berrava o livreiro à caixeirada –, ponham-me este vate no olho da rua!

Ante o *manu militari* irretorquível, o poeta apanhava a papelada lírica e moscava-se para a zona neutra do passeio, onde, readquirida altivez ossiânica, objurgava para dentro da loja hostil:

– A Posteridade me vingará, javardos!

E sacudia à porta do editor o pó das suas sandálias, que no caso eram surradas e já risonhas botinas de bezerro. Em seguida, remessando para trás a cabeleira, num repelão, ia fincar-se sinistramente à esquina próxima, em torva atitude, à espera dum conhecido esfaqueável, a quem, com gestos soberbos de Bergerac, extorquisse um níquel.

Cansado, entretanto, de ouvir estrelas em jejum, de amar a lua no céu sem possuir um queijo na terra, acatou a voz do estômago e quebrou a lira – para viver. Meteu a tesoura nas melenas, deu brilho aos sapatos, desfatalizou o semblante, substituiu o ar absorto do aedo pelo ar avacalhado do pretendente, e à força de pistolões guindou-se às cumeadas do Morro da Graça.* Todo mundo o recomendou ao Gaúcho Onipotente, porque todos andavam fartos daquela perpétua fome lírica a deambular pelas ruas, caçando rimas e filando cigarros. Que fosse acarrapatar-se ao Estado. O Estado é um boi gordo, semelhante àquela estátua equestre de Hindenburg, feita de madeira, em que os alemães pregavam pregos de ouro. A diferença está em que no Estado, em vez de tachas de ouro, pregam-se Capistranos vivos.

Foi apresentado ao Pinheiro.

– Então, menino, que quer?

* Residência do general Pinheiro Machado, o mandão da política na época. Nota da edição de 1946.

– Um empreguinho qualquer que Vossa Onipotência haja por bem conceder-me.

– E para que presta você, menino?

– Eu? Eu... fui poeta. Cantei o amor, a Mulher, a Beleza, as manhãs cor-de-rosa, as auroras boreais, a natureza, enfim. Romântico, embriaguei-me na Taverna de Hugo. Clássico, bebi o mel do Himeto pela taça de Anacreonte. Evoluído para o parnasianismo, burilei mármores de Paros com os cinzéis de Herédia. Quando quebrei a lira, estava ascendendo ao cubismo transcendental. Sim, general, sou um gênio incompreendido, novo Asverus a percorrer todas as regiões do ideal em busca da Forma Perfeita. Qual Prometeu, vivi atado ao potro do *Inania Verba*, onde me roeu o Abutre da Perfeição Suprema. Fui um Torturado da Forma...

O general, que era amigo das belas imagens, iluminou o rosto de um sorriso promissor.

– Poeta – disse ele –, eu também sou poeta. Rimo homens. Componho poemas herói-cômicos. Conheces a *Hermeida*? É obra minha. Amo as belas imagens e tenho lançado algumas imortais. "A mulher de César!" "Os levitas do Alcorão!" Hein? Tu me caíste em graça e, pois, acolho-te sob o meu pálio. Que queres ser?

– Inspetor.

– De quarteirão?

– Isso não.

– Agrícola?

– Ou avícola...

– De que região?

– Não faço questão.

– Sê-lo-ás do vigésimo distrito. Conheces as culturas rurais?

– Já cultivei batatas gramaticais.

– E de pecuária, entendes? Distingues um Zebu dum galo Brama? Um pampa dum murzelo?

– Já cavalguei Pégaso em pelo.

– Conheces a suinocultura? Sabes como se cria o canastrão?

– Sei trincá-lo com tutu de feijão.

– És um gênio, não há que ver. Talvez faça de ti, um dia, presidente da República. Teu nome?

– Sizenando. Capistrano é sobrenome.

– Cá me fica. Vai, que estás aí, estás fomentando a agricultura como inspetor do vigésimo distrito, com setecentos bagos por mês. Os poetas dão ótimos inspetores agrícolas e tu tens dedo para a coisa. Vai, levita do Ideal...

II

Sizenando Capistrano, mal se pilhou transformado de famélico ouvidor de estrelas em peça mestra do Ministério da Agricultura... casou, luademelou três meses e por fim compareceu perante o ministro para saber em que rumos nortear a sua atividade.

O ministro franziu a testa: é tão difícil dar ocupação aos fósforos ministeriais... Pensou um bocado e:

– Escreva um relatório – sugeriu.

– Sobre que, Excia.?

– Sobre qualquer coisa. Relate, vá relatando. A função capital do nosso ministério é produzir relatórios de arromba sobre o que há e o que não há. Relate.

– Mas, Excia., eu desejava ao menos uma sugestãozinha emanada do alto critério de V. Excia, sobre o tema do relatório que a bem da lavoura V. Excia., com tanto descortino, me incumbe de escrever...

– Já disse: sobre qualquer coisa que lhe dê na veneta. Relate, vá relatando e depois apareça.

Sizenando saiu tonto com os processos expeditos do doutor Grifado* com assento na pasta, e passou três meses de papo ao ar, procurando uma tese conveniente.

---

* Um ministro da Agricultura da época que não era doutor, mas não protestava contra o tratamento. Nota da edição de 1946.

Como por essa época a lua de mel entrasse em plena minguante, houve certo dia rusga brava ao jantar, e a consorte, mulherzinha de pelo crespo no nariz, pespegou-lhe pela cara com um prato de salada de beldroega. Tal o célebre estalo que abriu a inteligência do padre Antônio Vieira em menino, aquele obus culinário teve a estranha ação de iluminar os refolhos cerebrais do inspetor.

– Eureca! – berrou ele radiante. E com um grande riso de gozo na cara emplastada de verdura, ergueu-se da mesa precipitadamente e correu ao escritório. A mulherzinha, entre colérica e pasmada, perguntou de si para si:

– "Estará louco?"

Sizenando deitou mãos à tarefa e levou a cabo um estudo botânico--industrial da beldroega, com afã tal que, transcorridos dez meses, dava a prelo o *Relatório sobre o* Papalvum brasiliensis, *vulgo Beldroega, e sua aplicação na culinária.*

O ano seguinte gastou-o em rever as provas do calhamaço, a modo de escoimá-lo dos mínimos vícios de linguagem. O antigo torturado da Forma ressurtia ali... Saiu obra papa-fina, em ótimo papel e com muitas gravuras elucidativas. Entre estas, em belo destaque, os retratos do Ministro e do Diretor da Agricultura, do Marechal Hermes, do tenente Pulquério, do Frontim, do Pinheiro e mais protuberantes beldroegas do momento. Pronta a edição, embaraçou-se Sizenando quanto ao destino a dar-lhe. Que fazer de tanta beldroega?

Foi ao ministro.

– Excelência! De acordo com as sábias ordens de V. Excia., venho comunicar a V. Excia. que se acha pronta a edição do relatório sobre o *Papalvum.*

– Que papalvo? Que relatório? – inquiriu o ministro, deslembrado.

– O que V. Excia. me incumbiu de escrever.

– Quando?

– Haverá dois anos.

– Não me recordo, mas é o mesmo. Mande a papelada para o forno de incineração da Casa da Moeda.

Sizenando abriu a maior boca deste mundo. Compreendendo aquela estuporação, o ministro sorriu.

– Então? Que queria que eu fizesse de cinco mil exemplares de um relatório sobre a Beldroega? Que o pusesse à venda? Ninguém o compraria. Que o distribuísse grátis? Ninguém o aceitaria. Se é assim, se sempre foi assim, se sempre será assim com todas as publicações deste Ministério, o mais prático é passar a edição diretamente da tipografia ao forno. Isso evitará a maçada de nos preocuparmos com ela e de a termos por aí a atravancar os arquivos. Não acha vossa senhoria que é o mais razoável? Retire o que quiser e forno com o resto.

– E depois, que devo fazer? – indagou Sizenando, ainda tonto com o expeditismo ministerial.

– Escrever outro relatório – respondeu sem vacilar o ministro.

– Para ser queimado novamente? – atreveu-se a murmurar o poeta-inspetor.

– Está claro, homem! Para que diabo despendeu o governo tanto dinheiro na montagem do forno? Está claro que para incinerar as notas velhas e os relatórios novos. Deste modo se conservam em perpétua atividade o pessoal da Imprensa, o do Forno e o dos Ministérios. Veja como é sábia a nossa organização administrativa! A montagem do forno foi a melhor ideia do governo passado. Antes dele a Imprensa Nacional vivia entulhada de impressos; a produção de relatórios, função capital deste Ministério, periclitava; e era tudo uma desordem, um desequilíbrio capaz de induzir o governo à supressão da Imprensa e do meu Ministério. O forno sanou a situação. O *fervet opus* é magnífico e a espada de Dâmocles está para sempre arredada de nossas cabeças. Hein? Vá. Escreva outro relatório, sobre... sobre... o caruru, por exemplo.

Sizenando deixou o gabinete do ministro profundamente meditativo. S. Excia. derrancara-o!

Viu com dor de alma as chamas do Forno lerem aquele relatório tão bem-acabadinho, tão de encher o olho... E sacou seis meses de licença com vencimentos para descansar.

Esgotada a licença, ia Sizenando começar a pensar em preparar-se para escolher o papel e a tinta com que relatasse o caruru quando a política apeou da administrança o doutor Grifado. Sizenando deixou que transcorressem mais seis meses, ao termo dos quais se apresentou ao novo ministro para lhe sondar a orientação.

O novo ministro era bacharel em ciências jurídicas e sociais, ex-chefe de polícia e tão entendido em agricultura como em arqueologia inca. Mas lera uns números de *Chácaras e Quintais* e ali se abeberara de umas tantas noções sobre avicultura, policultura, criação de canários etc. Fez dessas uras o seu programa. No discurso de apresentação, ao empossar-se no cargo, emitiu os seguintes conceitos, louvadíssimos pelos circunstantes, empregados no Ministério quase todos e verdadeiros hortaliças em matéria agrícola.

– "A monocultura, senhores, é o grande mal; a policultura é o grande bem; no dia em que produzirmos cebola, alho, batata, repolho, coentro, alpiste, cerefólio, grão-de-bico, tremoço, quiabo, espargo, espinafre, alcachofra..."

(Um arrepio de entusiasmo percorreu a espinha dos assistentes, que se entreolharam gozosos, como quem diz: Temos homem pela proa!)

– "... cebolinha, couve-flor, sorgo, soja amarela, centeio, aveia, figos da Trácia, uvas de Corinto, violetas de Parma..."

– Bravíssimo!

– "... violetas de Parma... e outros cereais europeus (vermelhidão no rosto), a prosperidade nacional se assentará num soco basáltico, do qual não a arrancarão as mais rijas lufadas dos vendavais econômicos. Conduzir a pátria a essa Canaã da policultura: eis a mira permanente dos meus esforços, eis o meu programa, eis o fim supremo colimado pela minha atividade. Espero, pois, que etc. etc."

Palmas, bravos, guinchos, silvos e outros sons denunciadores de entusiasmo em grau de ebulição estrugiram pela sala. O ministro foi abraçado e beijado – nas mãos. Aquele salvara a pátria, não havia a menor dúvida!

O novo ministro da Agricultura era positivamente uma águia – igual às anteriores. Tinha programa. Visava confundir a rotina monocultora com demonstrações práticas das magnificências da policultura mecânica.

Sizenando recebeu ordem de ir desatolar a vigésima região do atascal da rotina. Aquela gente ainda vivia em pleno período da pedra lascada do café; era mister tangê-la à estação áurea da policultura, da avicultura, da sericultura, da criação de canários hamburgueses etc., preluzida no discurso do ministro.

Chegando à sede do distrito, com séquito numeroso e abundante farragem mecânica, Sizenando distribuiu convites para a inauguração dum curso prático. Escolheu para campo de demonstração um "rapador" a um quilômetro da cidade, e lá, no dia emprazado, reuniu os convivas. Veio o prefeito municipal, o porteiro da Câmara, o coletor federal, o promotor público, três jornalistas, quatro professores, o diretor do grupo escolar com a meninada, o vigário da paróquia, o fiscal da iluminação pública, o zelador do cemitério, o carcereiro, dois guarda-chaves da Central, cinco inspetores de quarteirão, o delegado, o cabo do destacamento – e *um* fazendeiro recém-despojado da sua propriedade por dívidas. A turma docente e os bois do arado formavam grupo à parte.

Sizenando trepou a um cupim e pronunciou breve alocução alusiva à personalidade sobre-excelente do ministro, e ao papel dos novos métodos racionais na agricultura moderna.

– O novo método, meus senhores, é baseado na ciência pura. Vem dos laboratórios de braços dados à química. Começarei pela demonstração do arado, ou charrua, a pedra angular de todo o progresso agrícola. Senhor Primeiro Arador, arado para a frente!

Despegou-se da turma um capataz, que empurrou para perto do cupim tribunício um belo arado de disco. Rodearam-no os circunstantes, como a um animal raro.

– Eis, meus senhores, um arado de disco. Esta parte se chama cabo; esta é a roda, serve para rodar; estas rodelas são os discos, servem para sulcar a terra; este ferrinho é a manivela graduadora; este pauzinho é o balancim. Aqui se atrelam os bois e cá toma assento o condutor.

A assistência abria a boca.

– Vejamo-lo agora em ação. Senhor Primeiro Condutor de Primeira Classe, atrelar!

Adiantou-se da turma um carreiro e tangeu os bois para a máquina, jungindo-os à canga. Os assistentes riram-se. Acharam imensa graça no Tome Pichorra, que nunca fora senão o Tome Pichorra, carreiro, transformado em Primeiro Condutor de Primeira Classe! Era de primeiríssima.

– Senhor Primeiro Arador, arar!

O Primeiro Arador saltou à boleia e empunhou as manivelas. O Primeiro Condutor aguilhoou a junta de bois.

– 'amo, Bordado! Puxa, Malhado!

Os dois caracus moveram-se pesadamente. A terra, sulcada pelo ferro, abriu-se em leivas. Sizenando exultou.

– Vejam, senhores, que maravilha! Faz o trabalho de vinte homens, além de que deixa a terra desatada, com grande receptividade para a meteorização atmosférica – o que equivale a um adubamento copioso.

Este pedacinho encantou sobremodo ao zelador do cemitério, o qual não conteve um sincero *Muito bem!*

Sizenando agradeceu com um gesto de cabeça. O arado deu umas tantas voltas e emperrou. A banda de música, para disfarçar a entaladela, rompeu o *Vem cá mulata*. E assim terminou a primeira parte da bela demonstração agrícola.

A segunda constituiu no destorroamento e no gradeamento da terra, feitos com o mesmo luxuoso aparato. Havia Primeiro e Segundo Destorroador, Primeiro e Segundo Gradeador. Um mimo de hierarquia!

Ao terminar o serviço, a banda zabumbou um tanguinho.

A terceira parte foi absorvida pelo plantio de cebolas, batatas, alho, alfafa e outras salvações nacionais.

– Os senhores verão – concluiu Sizenando – que maravilhosa messe vai brotar, farta, deste torrão sáfaro e ingrato só porque aplicamos sumariamente os processos modernos da cultura racional, os quais centuplicam a produção e diminuem o trabalho. A máquina agrícola é a verdadeira alavanca do progresso!

– Protesto! A alavanca do progresso sempre foi a imprensa – contraveio um jornalista, cioso da velha prerrogativa.

– Será – retrucou Sizenando –; mas se uma, a imprensa, alçaprema o progresso moral, a outra, a máquina agrícola, alçaprema o progresso econômico!

– Bravíssimo! – rugiu o zelador do cemitério, inimigo pessoal do Zé Tesoura. – Isto é que é!

– Sim, senhor, muito bem! – grunhiram outros.

Rubro de gozo pelo sucesso da tirada, Capistrano espichou o dedo para a filarmônica, a pedir o hino nacional.

Desbarretaram-se todos. Ereto sobre o pedestal de cupim, Capistrano imobilizou-se em atitude de religiosa unção, de olhos fixos no futuro da pátria. E à derradeira nota pôs fim à festa com um escarlate viva à República com três "erres".

Acompanharam-no, como um eco, o coletor, o zelador do cemitério, o agente do correio e os funcionários federais demissíveis, além dos bois, que mugiram.

Meses mais tarde procedeu-se à colheita. As cebolas haviam apodrecido na terra, devido às chuvas; os alhos vieram sem dentes, devido ao sol; as batatas não foram por diante, devido às vaquinhas; as outras "policulturas" negaram fogo devido à saúva, à quenquém, à geada, a isto e mais aquilo.

Não obstante, seguiu para o Rio um soporoso relatório de trezentas páginas onde Capistrano, entre outras maravilhas, notava: "Os resultados práticos do nosso método demonstrativo *in loco* têm sido verdadeiramente assombrosos! Os lavradores açodem em massa às lições, aplaudem-nos com delírio e, de volta às suas terras, lançam-se com furor à cultura poli, em tão boa hora lembrada pelo claro espírito de V. Excia. O Senhor Ministro pode felicitar-se de ter aberto de par em par as portas da idade de ouro da agricultura nacional".

Os jornais transcreveram com gabos estes e outros pedacinhos de ouro. E o Conde de Afonso Celso se encheu de mais um bocado de ufania por este nosso maravilhoso país.

A "CRUZ DE OURO"
1901

– Entre, quem é?

– O feroz não está solto?

– Viva. compadre! Suba!...

Um barbaças de óculos e cachenê de lã ringiu o portão de ferro e galgou a passos trôpegos a escadinha que levava ao alpendre de ipomeias. Lá, o aguardava, de cara amável, um segundo barbaças, o Coronel Liberato, vestido duma farda consentânea com a sua belicosidade: chambre de palha de seda, chinelo cara de gato e gorro de veludo negro com cercadura de ponto russo.

O que subia também era coronel. Coronel Antônio Leão Carneiro Lobo de Souza Guerra, ou simplesmente Nhô Gué. Chegaram ambos àquele alto posto militar pela razão estratégica de colherem para mais de dez mil arrobas de café. Se em vez de dez colhessem apenas cinco mil, seriam majores ou capitães. Este inteligentíssimo critério econômico do nosso militarismo é garantia de paz muito mais segura do que a Liga das Nações.

– Que milagre foi esse? – disse o de cima, abraçando o velho amigo.

– Quem é vivo sempre aparece e eu ainda não morri, apesar desta sufocação que me escangalha o peito.

– Você é o peito, eu a enxaqueca. Não valemos mais nada, compadre. Mas como vão todos? A comadre?

– Boa, todos bons, isto é, a Chiquinha... Ui!

– A cotucada?

– Não, este ventinho encanado...

– Pois vamos entrar.

E os dois urumbevas penetraram na sala de fora.

A sala de fora do Coronel Liberato merece relatório para que a posteridade se deleite em conhecer como era uma sala de visitas de coronel brasileiro no século XX. Cadeiras austríacas, sofá e cadeiras de balanço, tudo enfeitado com os crochezinhos das filhas. Mesinha central de cipó com embrechados, obra de um "curioso" do lugar. Duas almofadas no sofá, uma tendo um gato estufado, de lã, com olhos de vidro; outra, um papagaio de miçanga verde – maravilhas feitas por certa afilhada prendadíssima. Dois aparadores com vasos para flores artificiais, figurinhas de louça – "bibelotes", como lá dizia o dono, e várias curiosidades naturais – caramujos, conchas, um ninho de joão-de-barro, um mico seco e duas famílias de içás vestidos. Nas paredes, espelho oval, dois retratos grandes a carvão e fotografias em porta-cartões de talagarça, bordados pelas meninas. Pendurado do lampião belga suspenso ao teto, grande abacaxi de papel de seda. Piano de armário. Tapete com grande onça. Que mais? Iam-me esquecendo as duas "escarradeiras de sobrado", com caraças de leões... Viva o naturalismo!

Entrados que foram, os dois coronéis refestelaram-se nas cadeiras de balanço, o do "ui!" com cautelas, gemidos e caretas ao dobrar as juntas. Liberato puxou o cigarro de palha e, enquanto afrouxava o fumo na palma da mão, reatou a conversa.

– Ahn! Com que então a dona Chiquinha...

– Compadre, entre nós não há segredos; a doença dela são amores. Quer casar, ora aí tem.

– Não vejo mal nisso. Está na idade. Só se...

– Mas adivinhe lá com quem a tolinha emberrinchou de casar?

– ?

– Com o José de Paula!

– O filho da Nhá Vé?

– Esse mesmo. Um moço sem vintém de seu, gente do Chicão de Paula... Sair do nicho de filha única, onde vive como uma Nossa Senhorinha, para ligar-se a um lorpa de marido, ser criada, escrava dele! Se pudéssemos, nós que temos experiência da vida, abrir os olhos dessas mariposinhas tontas... Mas é inútil. Encasqueta-se-lhes na cabeça que o amor, o amoor, o amooor é tudo na vida, e adeus. O que nos vale é que o rapaz é pobre mas direitinho – quanto ao moral.

Liberato interveio com cara purgativa.

– Homem, não sei. Não é por falar, mas não me cheira bem aquele sujeitinho. Você o acha moralizado. Será. Mas a família dele é droga e a prudência manda atentar não só nas qualidades do galho como também nas do tronco. Olhe o que sucedeu outro dia com o primo dele, o Chiquinho...

– Não soube de nada, compadre. Que foi?

– Você anda no mundo da lua, homem! Refiro-me ao escândalo da Recreativa.

À palavra "escândalo" Nhô Gué esqueceu o reumatismo e arrastou a cadeira para mais perto.

– Escândalo?

O Coronel Liberato, gozoso de contar uma novidade, limpou o pigarro e disse:

– Foi no último domingo, na festa anual da Recreativa. Discursos, recitativos e uma peça – aquela endrômina de sempre. A sociedade mandou convite a toda gente, aos jornais, aos grêmios e dentre estes à *Camélia Branca*, da qual é secretário o Chiquinho de Paula, primo lá do teu. Por sinal que para a *Camélia* foi um camarote, o 7, justamente aquele donde assistimos ao *Poder do ouro*, lembra-se?

– Se me lembro! Pois uma representação daquela é lá de esquecer? Montepin! e inda mais pelo Furtado Coelho! Noitão! Hoje é que não há mais disso. São umas comediazinhas indecentes, e cinemas, e drogas.

– A Lucinda Simões, hein? Mulherão!

Este "mulherão" foi dito com um arregalar de olho em que toda a concupiscência retrospectiva se espojava arreitada.

– Nem fale! – disse o outro num tom de inexprimível saudade.

– Pois muito bem: o teatro encheu-se. Estava lá o Coronel Totó Fernandes com a família; a família do doutor Izidoro; o Major Gonçalves com a mulher – e por falar, como está acabada a dona Elisa!

– É verdade! Quem a viu e quem a vê! A Elisinha do Rincão, como lhe chamávamos, menina sapeca, da pá-virada, semostradeira até ali... Os anos, compadre, os anos...

– Só não vi lá a gente da oposição. Isso, nenhum, nem o Zé Penetra, aquele caradura.

Riram ambos, gostosamente, à lembrança da ausência dos adversários. (Esqueceu-me dizer que estes coronéis faziam parte do diretório situacionista, colunas fortíssimas que eram da força governamental no distrito.)

– Era ali entre nove e dez – continuou Liberato –, quando, de repente, adivinhe, se for capaz, compadre, quem surge pelo camarote n. 7 adentro.

Nhô Gué aparvalhou a cara com ar de quem não é capaz.

– A "Cruz de Ouro"! – concluiu o Liberato, de pé, chupando uma, duas, três baforadas do cigarro apagado, num triunfo.

Nhô Gué pasmou.

– Não me diga!...

– Pois é o que digo: a "Cruz de Ouro".

Liberato riscou triunfalmente um fósforo e prosseguiu:

– O rebuliço foi grande. Toda gente se pôs a murmurar, olhando uns para os outros. A família do Totó quis retirar-se. A mulher do Gonçalves virou bicha, abanava-se com frenesi, indignada com a pouca-vergonha. O doutor Izidoro, presidente da Recreativa, que no palco já se preparava para deitar o verbo, espia pelo buraco do pano, percebe o negócio, fica possesso e berra lá dentro, de ouvir-se cá na plateia, que processava, que partia a cara, que mais isto e mais aquilo – um fim do mundo! Houve pedidos de informação à bilheteria. Era preciso desagravar a moralidade pública ofendida com a execrável presença da "coisa à toa" em festa puramente familiar. Afinal a polícia interveio. O delegado foi com a descarada e com muito bons modos fê-la sair. Só então, onze horas, começou o espetáculo. No primeiro intervalo, porém, soube-se tudo: o Chiquinho de Paula, secretário da *Camélia*, recebera o convite para a festa, mas em vez de organizar uma comissão que dignamente representasse o grêmio, pega do camarote e o dá à "jereba", de quem é...

Aqui o Coronel Liberato, para remate da frase, fez uma cara de supremo nojo:

– ... o queridinho!

Voltando em seguida à cara anterior, disse, grave e pundonorosamente, bamboleando a cabeça:

– Veja você que refinadíssimo tranca!

E concluiu com desalentada severidade:

– E é com o primo de semelhante crápula que dona Chiquinha quer casar-se!

Na noite desse dia, altas horas, Liberato deixou em casa a enxaqueca e foi sorrateiramente bater à porta da "Cruz de Ouro". Apareceu a criada. Confabularam baixinho.

– Não pode ser – disse a Libéria –, está cá seu Coronel Nhô Gué.

Liberato fez uma careta.

– E amanhã? – perguntou.

– Amanhã é a vez do doutor Izidoro.

– E depois de amanhã?

– Quarta-feira? Deixe ver – fez cálculos nos dedos e disse: – Quarta-feira é o dia de seu Gonçalves.

– E quinta?

– Pois não sabe que as quintas são de seu Totó?

Liberato não desanimou.

– E domingo?

A Libéria despejou uma gargalhada sonorosa.

– Os "home"! Pois então sinhazinha não há de ter um descansinho na "somana"?

E fechou-lhe a porta na cara.

DE COMO QUEBREI A CABEÇA À MULHER DO MELO

1906

Olha, esperam-te hoje em casa para o jantar.

– Impossível. Não janto fora.

– Abre uma exceção e vai.

– Impossível, já disse. Não insistas.

– Põe de lado a esquisitice e vai.

– Não é esquisitice, meu caro, é sibaritismo e prudência. Tenho para mim que comer é uma das boas coisas da vida. Mas comer o que se quer, como se quer, quando se quer. Gosto, por exemplo, de lombo de porco, mas a meu modo, assado cá dum jeito que sei. Se o como fora de casa, nunca o tenho ao sabor do meu paladar. Gosto ainda de comer quando tenho fome. Detesto o horário forçado, almoço às onze, jantar às seis, haja ou não apetite. Ora, a não ser em minha casa, onde não tenho horário, raramente o apetite coincidirá com o momento do bródio. Esta circunstância, aliada ao fato de ser induzido a comer o que está na mesa e não o que me pede a veneta, leva-me a recusar sistematicamente convites para jantar.

– Mas, homem de Deus, para tudo há remédio. Farás tu mesmo o cardápio, darás as receitas e só se porá a mesa à voz do teu apetite.

– Não. Em tua casa são todos de tal modo amáveis que receio não chegar à sobremesa sem cometer um homicídio.

– !!!

– Nunca te contei o meu rompimento com a família, Melo? Éramos amicíssimos de longos anos e sê-lo-íamos até hoje se não fosse a minha imprudência aceitando um convite para lá jantar em dia de anos da dona Vidoca. Havia à mesa umas dez pessoas, todas íntimas, e as filhas, os genros – um povaréu. Dona Vidoca, como sabes, é uma criatura excessivamente amável e nesse dia excedeu-se. Serviu-me sopa, ela própria, mas carregando a mão como se eu fora um frade. Arrepiou-me aquele pantagruelismo brutal, mas calei a exasperação e ingeri com paciência toda a maranha de fios amarelos, boiantes num caldo untuoso. Mal absorvera a última colherada, a boa senhora, sem consulta prévia, atocha feijão num prato e passa-mo.

– "Não, minha senhora, muito obrigado!"

– "Ora, coma! Deixe-se de história. Coma feijão que dá sustância."

Não houve escapatória possível; tive que aceitar o truculento prato de caroços pretos, coisa que detesto. Olhei para a rodela escura, cor de chocolate, que se me esparramava pelo prato inteiro sem deixar transparecer uma nesga sequer da louça branca, enchi-me de resignação e empreendi o trabalho de Hércules que era trasladar tudo aquilo para o estômago. Mas meu sangue começou a esquentar e senti o nó das cóleras surdas a subir-me à garganta. Estava eu em meio da empreitada, quando vi a excelente senhora dirigir para o meu prato um enorme naco de carne fisgado no garfo.

– "Doutor, um *pedacinho* de carne assada?"

Gaguejei, mal firme nas estribeiras:

– "Mas, minha senhora, eu..."

– "Sempre com cerimônias! Olhe que aqui não se usa disso! Coma lá!"

E soltou-me no prato o boi...

Senti bagas de suor frio borbulharem-me na testa. O nó da garganta engrossou. Baixei a cabeça, resignado, e encetei silenciosamente a mastigação, matutando sobre o modo de dar cabo daquilo. Comer tudo era impossível; deixar no prato, impolidez...

– "Agora um pouco de arroz!"

Lancei um olhar facinoroso à santa criatura, que o interpretou de maneira errônea, como de assentimento.

– "Eu bem vi que estava querendo arroz."

– "Impossível, dona Vidoca! Peço-lhe perdão, mas estou satisfeito. Como pouco e o que tenho no prato janta-me por três dias."

– "Luxento! Coma lá!"

E *zás!*, uma, duas, três colheradas, das grandes.

Uma onda de sangue escureceu-me a vista. Tive ímpetos de saltar pela janela. Contive-me, porém, e com a resignação dos verdadeiros mártires recomecei a mastigar.

– "Um pastelzinho agora?"

Era demais! A virtuosa criatura abusava da minha situação. Recusei desabridamente, áspero.

– "Já sei por que não quer... É que foram feitos por mim... Mas deixe estar..."

– "Dona Vidoca! Pelo amor de Deus!" – gaguejei.

– "Unzinho só! Para me dar opinião sobre o tempero da massa, sim? Apare lá estezinho tostadinho, sim?"

Conheces o meu gênio, sabes com que facilidade saio fora de mim e cometo as maiores loucuras. Esse estado de superexcitação nervosa preludia por um tremor da voz e excessiva quentura nas faces. Naquele momento, sentindo os pródromos da erupção, entreguei-me a esforços sobre-humanos para conter a fera que mora em mim. E contive-a. Curvei de novo a cabeça e levei à boca mais umas garfadas.

Aqui Melo principia a trinchar o leitão.

Refleti: se mo oferecem, estouro. E fiquei de sobreaviso, engatilhado para o revide.

Não tardou muito que dona Vidoca espetasse no garfo uma alentadíssima costela de leitão e fizesse pontaria para o meu lado.

Ah! Perdi a tramontana! Agarrei na garrafa que estava na minha frente e abri a cabeça da santa criatura com uma pancada horrível!

De nada mais me lembro. Ouvi um berro, um clamor. Senti o pânico em redor de mim e corri para a rua como um ébrio. Foi quando...

Não concluiu. O amigo havia abalado.

Nota da primeira edição (1946)

Esta história deu origem a curioso incidente. Publicada em julho de 1906, sob o pseudônimo de Antão de Magalhães, no *Minarete*, que circulava não só em Pinda como nas cidades vizinhas, caiu sob os olhos de um hoteleiro da cidade de São Bento, de nome Melo e por coincidência esposo de uma senhora de apelido Vidoca. O excelente homem viu no artigo alusões pessoais e ofensivas a ele e sua família – e apresentou queixa-crime. Aqui vai a petição, transcrita do *Minarete*:

Ilmo. e Exmo. Sr. Dr. Juiz de Direito desta Comarca.

Diz F. F. Melo, por seu procurador, que, sentindo-se ofendido, com sua família, pelo injurioso artigo do Minarete, periódico de imprensa desta cidade, ora junto, distribuído por mais de 15 pessoas, intitulado "De como quebrei a cabeça à mulher do Melo" de 19 de julho de 1906, assinado por Antão de Magalhães, edição n. 159, e querendo a bem de seus direitos promover a responsabilidade criminal do autor, que não é pessoa conhecida, pelas injúrias que afetam ao suplicante e sua família, vem requerer a V. Exa. que se digne mandar intimar ao editor ou gerente da tipografia do dito periódico, senhor José Monteiro Salgado, que é quem assumiu a responsabilidade da publicação do Minarete perante a Câmara, preliminarmente, para exibir em juízo o respectivo autógrafo, em dia, lugar e hora previamente designados, requerendo também o suplicante a V. Exa. para isso uma audiência extraordinária, visto ser urgente a diligência etc. etc. Nestes termos, o suplicante requer que D. e A. esta, com os documentos inclusos, se proceda na forma da lei, a fim de que, terminadas as diligências, a exibição do referido autógrafo e pagas as custas do processo, sejam os autos originais entregues ao procurador do suplicante independente de traslado, para deles fazer o uso que convier ao suplicante.

P. deferimento E. R. M. Pinda, 26 de julho de 1906. Com a proc. inclusa – o advogado J. M. F. J.

O processo não foi por diante, irrisório que era. Apesar disso, a brincadeira custou ao escamado hoteleiro perto de um conto de réis...

O ESPIÃO ALEMÃO
1916

Abre a história. Escuta. Só ouvirás rumores de guerra. Aquele tropel desapoderado? É a avalanche tártara. Tamerlão, o tigre coxo derrama sobre a Pérsia legiões de feras – e leva a chacina a proporções inauditas. Seu capricho exige em Ispahan setenta mil cabeças humanas. Cada seção do exército lhe há de fornecer uma quota. Fartos, cansados de cortá-las, os soldados entram a adquiri-las, pagando a moeda de ouro cada uma. Era bom negócio, a oferta cresceu e o preço baixou a meia moeda. Reunidas as setenta mil, Timur construiu torres de crânios em redor da cidade.

Ruge a sangueira além. É em Délhi, Timur, tigre precavido, antes de bater-se com Maomé IV, delibera aliviar o exército de cem mil prisioneiros incômodos. Solução magistral: degola-os... A vaga prossegue, chega a Ancira, esmaga Bajazet, o grande sultão, e passa...

E acolá? Assíria. De Nínive, antro de leões famintos, descem para a carniçaria os reis flecheiros. Assurbanípal canta os próprios feitos em inscrições chegadas até nós: "Construí um muro diante das portas da cidade e forrei-o com a pele dos chefes. A outros emparedei vivos, a outros empalei ao longo das muralhas. Fiz arrancar o couro, em minha presença, a inúmeros, e revesti paredes com esse couro semivivo. Reuni cabeças em forma de coroas e os corpos entrelacei como guirlandas".

A vida da Assíria é toda uma primorosa carnificina. Tuklatabazar, Assurbanípal, Nabuco, Sargão – todos os magarefes reais viram a sua perícia em arrancar o couro a criaturas humanas cantada pelos poetas, comemorada pela arquitetura, admirada pelos pósteros.

Timur passou. Passou a Assíria.

Homens e coisas passam, mas a guerra fica.

É a guerra uma permanente. O homem tem a vocação do morticínio. A arte apoteosa a carniça. Os poetas só ascendem ao épico se o bafio de sangue lhes fumega a inspiração. A beleza suprema é Aquiles fendendo crânios do frontal à nuca, e a história da humanidade não passa dum sistema potamográfico de enxurros vermelhos, musicado pelos gemidos de dor dos vencidos.

A guerra sempre!

Sempre guerras!

A guerra dos Sete Chefes, a guerra de Troia, as guerras pânicas, as guerras de Roma – escravos, Numância, mercenários, Jugurta, Mitrídates, civil...

Depois, as guerras de invasão. As cruzadas depois. E as guerras de religião. E as guerras dinásticas. A dos Cem Anos, a dos Trinta Anos, a guerra das Duas Rosas, a da sucessão da Espanha. A guerra americana de secessão. As napoleônicas, a russo-turca, a hispano-americana, a sino-japonesa, a franco-prussiana, a anglo-bôer...

Depois, depois a Guerra Geral, a guerra do mundo contra a Alemanha.

O rosário para aqui. Mas como não para o Ódio e como a Estupidez Humana é irredutível, o futuro verá tantas guerras quantas viu o passado.

Os grandes condutores de povos: simples vontades de aço despidas de inteligência, incapazes doutra filosofia que não a das maxilas da hiena. Porque eles perpetuam a guerra, a humanidade os erige em semideuses. E com eles, poetas, pensadores, generais, a indústria, o comércio, a imprensa, todos, todos e tudo – fora as mães – zelam, como vestais, para que se não extinga o fogo sagrado do Ódio. Já para os deuses, de Júpiter a Jeová, era a vingança o prazer supremo. Se sabe assim a guerra a paladares divinos, que admira saber tanto ao macaco glabro que se classificou a si próprio *Homo sapiens*, ignorante de como o classificariam os cavalos?

Também nós temos tido por aqui nossas guerras. A grande, do Paraguai, onde chacinamos os selvagens do Chaco e as pequenas, internas – intestinais. Temos a Guerra dos Mascates, onde torceu o pé um reinol e, consta, se arranhou um nativo. Temos a do Alecrim e da Manjerona, que não arranhou ninguém. Mas a guerra grande, a guerra-guerra, a guerra de encher o olho a Marte e berrar por poetas que a botem em Ilíadas parnasianas com o retrato de Belona no frontispício, ah! temo-la em a nossa guerra contra a Alemanha!

Essa nação formidável, Assíria encouraçada de aço, máquina monstruosa que apavorou o mundo, Golias de tremenda catadura temperado nas forjas de Krupp, viu saltar-lhe à frente um Davi de ivirapema em punho.

E o caso foi que mais uma vez Davi venceu o gigante!... Quem duvidar do milagre, leia *O Lírio* de Itaoca, semanário literário, recreativo e comercial, número extra, de oito páginas, comemorativo do Armistício. Diz ele:

"*Vencemos!* O gigante jaz por terra, exangue. A esquadra dispersa, os exércitos rotos, a arrogância abatida – a invencível Alemanha dobra os joelhos e entrega-*nos* a espada sangrenta! Honra aos gloriosos estadistas que nos impulsaram à luta! Honra ao Exmo. Dr. Venceslau Brás Pereira Gomes, digníssimo Presidente da República, e honra, sobretudo, ao ínclito Coronel José Pedro Teixeira Marcondes, honradíssimo presidente do diretório político de Itaoca e chefe honorário da heroica linha de tiro "Frei Gaspar da Madre de Deus"! Ave! Ave! Evoé!"

É força que os novelistas fixem estes aspectos heroicos do país, já que descuram deles os Pombos e Capistranos sisudos.

A ação de Itaoca durante a guerra foi de fato notável; mas como Itaoca não passa de pobre lugarejo perdido no espinhaço da serra, sem bons correspondentes para os jornais do Rio, toda a sua agitação mavórtica permanecerá sem notícia se não lhe açode romanceador.

Itaoca tem, oficialmente, cinco mil habitantes – estatística feita a olho. O chefe da terra mandou carregar vinte por cento de "créscima" no cálculo do vigário, em virtude de velha rivalidade com Itapuca, cidade vizinha, onde o olhômetro municipal acusara quatro mil e quinhentas almas, afora as penadas. Itaoca não se abaixa! Já a sua filarmônica era a melhor, o jornal tinha mais estilo e o mercado mais verdura. Ficou mais populosa também, depois do patriótico recenseamento.

Itaoca é regida politicamente pelo Coronel José Pedro, e intelectualmente pelo vigário, monsenhor Acácio da Silva, um homem que sabe tudo, até astronomia! Além deste luzeiro, há outras possantes candeias em Itaoca: o juiz, velho bacharel pelo Pedro II; o Leão Lobo, mulatinho disfarçado, emérito em versos, charadas, enigmas e logogrifos. Há ainda o Pimenta, secretário da Câmara; o Major Ventania, veterano de Itararé, e outros, que leram o *Rocambole* a fio e assinam as folhas governistas.

Quando rebentou a guerra, grande foi a emoção de Itaoca. Sensação de estupor. Mas o coronel, expedito que era, sem vacilar um minuto convocou o diretório. Reunidos que foram os seus oito membros, o presidente expôs com palavras solenissimas a gravidade do momento e pediu alvitres. Pimenta tomou a palavra e propôs ficasse o diretório em sessão permanente até o fim da guerra. Leão Lobo aventou a ideia dum Comitê de Salvação Pública, bem como a dum vereador sem pasta. Outros alvitres de primeiríssima foram lembrados, mas só logrou aprovação a ideia sensata do presidente: não fazerem coisa nenhuma antes de as outras municipalidades se manifestarem. Aguardariam os acontecimentos de olho ferrado nos jornais e no patriótico presidente da República, ao qual oficiaram no mais alevantado estilo. Quanto à sessão permanente, achavam isso uma grande maçada.

Assim se fez, e Itaoca, não podendo revelar gênio criador, portou-se durante a guerra como a mais direitinha das maria vai com as outras.

A primeira resultante da guerra valeu no país inteiro pelo incremento das linhas de tiro. Itaoca não ficou atrás – deitou também o seu tirozinho.

Que revolução no seu pacífico viver não foi aquilo! Veio instrutor de fora, e a coisa se fez "por música", com duzentos homens de efetivo – no papel. Efetivos na realidade, apenas vinte. Os mais, homens de oitenta quilos, negociantes, fazendeiros, "gente grada", constituíam o "enchimento". Cooperavam com dinheiro e boa vontade, mas isso de exercícios, e ginástica, e tiro ao alvo – "coisas de meninada".

Apesar de serem só vinte, os rapazes de perneiras e chapéu à americana transformaram Itaoca em praça de guerra e varreram do coração das meninas todos os rivais civis. Era de vê-los passar, garbosos, em marcha cadenciada, sob o corisco dos olhares lânguidos das Sinhazinhas e Mariquitas janeleiras. Da pobre ralé de paletó-saco e palheta salvou-se um ou outro, de rubi no dedo. Vênus sempre foi doidinha por Marte...

O armamento requisitado ao Ministério da Guerra para o Tiro "Frei Gaspar da Madre de Deus", apesar de prometido, nunca chegou a Itaoca. Não obstante, exercitavam-se os voluntários com uma carabina Flaubert do Pimenta. Aos sábados, na sede da linha, compareciam os vinte heroicos atiradores e cada um dava o seu tirozinho na lata de banha posta como alvo a vinte metros de distância. A munição, porém, encareceu. As balas chegaram ao preço de cem réis por cabeça. Era um desperdício gastarem-se vinte cada semana para transformar lata velha em crivo. Daí a grande ideia do Major Ventania, comandante superior do "Frei Gaspar". Ponderou ele: alvo por alvo, tanto faz uma lata como um passarinho; ora, mirando passarinho, o atirador exercita-se da mesma maneira e sempre apanha um ou outro, com proveito duplo – do treino e do jantar. Sendo assim, não será mais lógico aproveitarem-se as vinte balas semanais no pomar, em caçada às rolinhas, sabiás e sanhaços? Sensata que era a ideia, foi logo posta em prática, e o exercício de tiro ficou reorganizado deste modo: cada domingo a Flaubert e vinte balas eram entregues a dois voluntários para que caçassem onde quisessem, sob a condição de repartirem a caça abatida com Ventania, pai da ideia-mãe e muito guloso de arroz com passarinho. O major emitiu ainda um conselho de alta estratégia culinária.

– Deem preferência às rolinhas: são mais carnudas que os sanhaços. Quanto aos sabiás, não me parece patriótico atirar nos rouxinóis de Gonçalves Dias – além de que a carne não vale nada...

Este mirífico sistema deu resultado tríplice: desbaste nas laranjas e passarinhos pomareiros, muita precisão nos tiros dos rapazes e engorda do major.

Apurado o seu aparelho de defesa, Itaoca dormiu sossegada, à espera do inimigo. Viessem os bárbaros germânicos e cairiam ceifados como rolinhas.

Não foram tolos. Não vieram. Não veio um ulano sequer. Mas que a Alemanha pôs o seu olho de águia em Itaoca, disso não resta a menor dúvida. Aqui muito em segredo o confessamos hoje: andaram espiões por lá!

– ???!!!!

– Sim, espiões, e dos piores. Andaram rondando a cidade, tomando plantas, tirando desenhos... Agora que se acabou a guerra, é permitido confessar o fato. Antes, não; por isso foi o segredo religiosamente oculto pelas autoridades locais, por Leão Lobo e até pelas mulheres, tão palreiras.

Nobilíssimo povo de Itaoca! Quantos males não poupou ao país a tua severa discrição!...

Foi assim o caso. Leão Lobo saía da ximbica do costume na casa do Pimenta, às onze da noite, quando, no largo da matriz, cruzou com um vulto desconhecido, ruivo de cabelos, maltrapilho, ar suspeitíssimo e trouxa mais suspeita ainda sobraçada. Um profético relâmpago lucilou--lhe no cérebro: "Espião!". Sobresteve a alma aos pinotes, meditou três segundos e, como flecha do patriotismo despedida do arco da salvação pública, voou à casa do Coronel José Pedro, já na paz dos lençóis àquela hora. Leão Lobo bateu na vidraça freneticamente, três, quatro, cinco vezes. O coronel apareceu de chambre, gorro de lã e vela na mão – assustadíssimo.

– Que é lá?

– Espiões na terra, coronel!...

O pobre homem, mal acordado, estremeceu da base ao topo num dos maiores abalos sísmicos de sua vida. Engasgou. Tartamudeou. E ao termo de uns segundos de tonteira pôde apenas murmurar em voz débil um imperceptível – "Entre!". A porta abriu-se e Leão Lobo entrou.

– Com que então, espiões?... – disse o coronel, de olho arregalado.

– E dos piores! *Daqueles*, coronel!...

A entonação do "daqueles" foi tão impressionadora que José Pedro se encostou à parede para conservar o aprumo coronelício.

A situação era de tal modo imprevista que o chefe não sabia o que fazer. Salvou-o Leão Lobo, afeito a lidar com charadas e logogrifos dos mais crespos.

– Coragem, coronel! O momento não é para vacilações. Proponho que se desperte Ventania, que se mobilize o "Frei Gaspar", mais o destacamento policial, e que se monte guarda rigorosa às saídas da cidade durante o resto da noite. Amanhã, engaiola-se o melro!

– Bem ponderado! – exclamou o chefe, já mais seguro de si. – Vá você mesmo avisar os homens, enquanto eu...

Leão Lobo, sem esperar o fim, saiu aos pinotes, enquanto o coronel... enquanto o coronel voltava para a cama bastante apreensivo.

– A gente tão "sossegado" aqui e aquele peste do Kaiser... – murmurou ele ao deitar-se.

– Que foi? – indagou a mulher num bocejo.

– Espiões na terra, Candoca! Raios de espiões!

Dona Candoca era um poço de bom senso. Disse apenas:

– O que me admira é vocês andarem pela cabeça daquele bodinho...

E, virando-se para o canto, adormeceu.

Leão Lobo acordou Ventania e o delegado. Horas depois o destacamento policial – um cabo e dois praças – mais o Tiro inteiro estavam em pé de guerra, com grande pavor de várias damas despenteadas que à janela, em camisa, punham as mãos, invocando as várias Nossas Senhoras adequadas ao lance – que aquilo era por certo o fim do mundo.

Nenhum luar no céu, e como os lampiões já de semanas não se acendessem por precaução contra os zepelins mortíferos, o escuro era de breu. Mesmo assim às apalpadelas as forças mobilizadas agiram com tal estratégia que "três horas" após o rebate todas as saídas de Itaoca estavam hermeticamente sentineladas. Numa delas ficou metade do "Frei Gaspar" com a Flaubert à frente. A outra metade conseguiu munir-se de uma velha garrucha de dois canos, carregada de chumbo paula-souza.

A senha era impiedosa: não deixar passar vivalma loura ou ruiva; em caso de resistência, fogo de barragem!

Não passou ninguém, afora o Vinagre, cachorro veadeiro do Pimenta, o qual, como o seu dono, tinha incoercíveis hábitos noturnos.

Amanheceu, enfim.

Quando o astro-rei, desdobrando as róseas gases da aurora, espargiu sobre o orbe os seus primeiros raios – como esplendidamente disse mais tarde *O Lírio*, historiando os fatos –, o Major Ventania e o delegado deram começo à rigorosa pesquisa.

Não foi preciso muito. O espião lá estava, espichado no *trottoir* da igreja, ronflando com a cabeça apoiada na valise suspeita. (Adivinha-se aqui o estilo do "Pall-Mall-Lírio", seção evidentemente influenciada pelo mirífico José Antônio José da *Gazeta de Notícias*...)

O Major Ventania não vacila: mete dois dedos na boca e produz um assobio agudíssimo.

Era o sinal. Acode logo o Tiro, mais o destacamento e a molecada, e solenemente, num sherlockiano *nhoc!*, agarram, em nome da lei, o perigosíssimo agente do Kaiser.

Não há memória em Itaoca de lance mais repassado de dramaticidade. O patriotismo engasgava os pró-homens da terra, emudecendo-os de sagrada emoção. Naquele momento augusto salvava-se a Pátria querida!...

Dali seguiu para a cadeia o infame dolicocéfalo louro, e lá lhe montou guarda o Tiro. Ao detentor da Flaubert foi marcado o posto de maior responsabilidade, à porta do xadrez, com ordem de conservá-la engatilhada.

– Se o bicho tentar fugir, nada de molezas – ordenou o Major. – Fogo nele – fogo de barragem!

Às dez estava tudo pronto para o interrogatório. Mas aqui surgiu imprevista dificuldade: o espião insistia em não falar língua de gente, e na terra, fora os membros da colônia alemã, ninguém pescava um *ya* da odiosa língua de Goethe. (A colônia alemã de Itaoca compunha-se do velho boticário Müller, estabelecido com farmácia havia sessenta anos, e uma sua criada nascida em Blumenau.)

– E agora? – indagou a autoridade, atarantada. – Só se convidarmos o Müller para intérprete.

Leão Lobo, com a sua clara visão de patriota exaltado, obtemperou incontinênti:

– Não! Não é possível! Müller, como germânico, é suspeito. Pode alterar as respostas do agente. Proponho para "língua" o monsenhor Acácio. Há de saber alemão. Que é que ele não sabe? Até astronomia...

Era verdade. Monsenhor Acácio sabia tudo, dissertava *de omni re scibili*, e em línguas vivas e mortas ganhava até de D. Pedro II, que sabia quatorze.

Veio o padre. Solenemente, por meia hora, bateu língua com o espião, sob o olhar aparvalhado dos assistentes. Por fim:

– O alemão deste homem – concluiu ele sentenciosamente – é o alemão turíngio da baixa germanidade valona da Silésia hanoveriana. Ininteligível, portanto, a quem, como eu, só conhece o alemão gramatical da alta germanidade dos Goethes, dos Lessings, dos Bergsons, dos Schneider-Canets.

Leão Lobo, entusiasmado, cochichou para Ventania. "Eu não disse? Ele é um bicho!"

Do pouco que o espião dissera, uma frase, por muito repetida, gravou-se na memória dos itaoquenses: *ai éme inglix*. Leão Lobo, afeito a lidar com os mais embaraçantes enigmas, tentou decifrar a misteriosa frase por meio dos processos charadísticos. *Ai éme inglix: Ai*, uma; *éme*, uma; *inglix*, *duas*. Conceito? Engasgava no conceito. Estava nisso, quando o padre cortou o nó górdio.

– *Ai éme inglix* – disse ele enrugando a testa – quer dizer, se me não falham as analogias glotológicas – "estou com fome". E é natural. Já bateu meio-dia. Deem-lhe, pois, almoço, e a mim licença para retirar-me, pois que estou de hora passada.

E, pondo na cabeça o chapéu felpudo, saiu solene e sábio como a própria Minerva de batina e coroa.

Leão Lobo namorou-o até certa distância, com o olhar úmido de ternura.

– É um baita o nosso monsenhor!... Pena viver neste fim de mundo. Se "atuasse" no Rio, hein? Que figurão!...

Na impossibilidade de arrancar ao espião palavra inteligível, resolveram enviá-lo à capital, de presente ao chefe de polícia. Iria escoltado por quatro voluntários, tirados à sorte.

Assim se fez, e no dia solene da partida houve choradeira de mulheres e um discurso de bota-fora. – "Ide-vos" – disse o orador oficial –, "a Pátria exige de vós esse sacrifício. Não ocultamos os perigos que correis. Este facínora poderá ser membro duma quadrilha de sicários emboscados à beira da estrada. Podeis ser chacinados em massa, atacados a gases lacrimogêneos, picotados pelas metralhadoras. Não importa! Ide-vos! A Pátria exige o vosso sangue! Se cairdes, tereis como recompensa a nossa gratidão eterna!"

– E o nome numa rua! – aparteou o presidente da Câmara.

Bravos em atoarda abafaram as palavras do orador. Bem merecidos!

Partiram, afinal, os jovens heróis e nunca se viu maior resignação ao sacrifício. Malbaratavam a vida como bravos de raça que eram, com antepassados na guerra do Alecrim e a Manjerona e outras.

Itaoca distava duas léguas da via férrea e quarenta da capital. Os rapazes da escolta, apesar do quadro horrível que o orador desenhara, arreceavam-se menos das emboscadas do inimigo, perigo problemático, do que da viagem pela via férrea Central do Brasil, vezeira em descarrilamentos, choques, telescopagens etc. Razão por que só empalideceram quando na estação ouviram o apito do trem mortífero. Antes do embarque remeteram para Itaoca um despacho conciso mas eloquente: "Chegamos. O espião sempre na unha. Viva a República!".

Quando o Zé Burro, preto recadeiro que fazia carretos a pé a mil-réis por légua, entregou o zeburrograma ao Major Ventania, o prefeito municipal comemorou a auspiciosa notícia mandando soltar uma dúzia de foguetes – pela verba "socorros públicos".

Nesse mesmo dia um grupo de exaltados promoveu imponente manifestação patriótica. Falou na praça Sete de Setembro, com patética eloquência, o ínclito Leão Lobo, produzindo a mais veemente oração da sua vida.

"Ali, senhores" – disse a apontar com dedo enérgico o *trottoir* doravante histórico –, "esteve deitado, fingindo que dormia, mas de fato *espiando*, um dos mais perigosos agentes da espionagem alemã. O celerado não confessou. Mas havia de confessar? Havia de denunciar os tenebrosos planos do anti-Cristo moderno, esse Kaiser assassino que está assassinando o mundo?

A situação é gravíssima, senhores! Itaoca está sobre um vulcão! Minada de todos os lados, a vida das nossas famílias, a honra das nossas esposas, as mãozinhas das nossas crianças (sensação) correm o maior dos riscos! Lembrai-vos da Bélgica, essa heroica crucificada na cruz de ferro do monstro kruppeano (sensação)! Senhores! Um desagravo se impõe. Precisamos manifestar a nossa repulsa perante a colônia alemã que, como víbora, alimentamos em nosso seio. Viva a França! Viva o Exmo. Dr. Venceslau Brás Pereira Gomes, nosso impertérrito presidente!"

Foi um delírio. Estrepitaram palmas, de envolta com imprecações de vingança contra a colônia alemã – o boticário e sua criada.

– Abaixo o Müller! Morra a Gretche!

A onda popular, arrastada pelos impulsos do mais nobre civismo, despejou-se, como avalanche, para os lados da velha botica. Leão Lobo à frente, com o patriotismo a cem graus centígrados, desfechava vivas e morras truculentos. Viveu Clemenceau, Joffre, Foch; morreu Hindenburg, Mackensen e Enver-Pachá.

Os gavroches (está n'*O Lírio*) iam pelo caminho juntando pedras para o bombardeio da colônia. Defrontados que foram com a odiosa farmácia, nela choveram projéteis, entre apupos e assobios. Não ficou vidraça intacta. Um obus, penetrando na prateleira das drogas, quebrou ali o vidro de sal amargo. Também a ipeca e a tintura de iodo foram seriamente maltratadas. Mas a colônia alemã não deu mostras de si. Nem Müller, nem a criada tiveram a coragem de mostrar a ponta do nariz.

Covardes!

Os patriotas, cansados de apedrejar e desafiar, arrancaram a placa da botica e levaram-na à guisa de troféu para a redação d'*O Lírio*, onde beberam várias garrafas de champanha (soda), sempre pela verba "socorros públicos".

Na noite desse dia a esposa do Coronel José Pedro teve uma violentíssima cólica intestinal. Receitaram-lhe sal amargo. Correu à botica uma negrinha, que voltou de mãos abanando.

– Seu Müller manda dizer que não tem; que os patriotas quebraram o vidro; que se serve sal de azedas, que tem.

A pobre da dona Candoca estorceu-se e,

– É isto! – exclamou. – Aquele bodinho faz das suas e quem paga o pato é a pobre de mim. Ai, Ai!...

– Mulher! – interveio o marido. – A Pátria acima de tudo!

– Vocês são uns...

O cronista não ouviu o qualificativo de dona Candoca, mas a avaliar pela cara do marido foi forte. O homem passou embezerrado o resto do dia.

À noite chegou telegrama do chefe de polícia: "Verificamos prisioneiro súdito inglês. Receios complicação diplomática. Guardem reserva grotesco incidente".

O Coronel José Pedro, desapontadíssimo, esteve meia hora com o papelucho na mão, meditando. Depois reuniu os paredros e disse:

– Recebi telegrama confidencial do chefe de polícia. O caso é mais grave do que supus. Sou obrigado a guardar reserva. Altos segredos de Estado, vocês compreendem...

Apatetamento geral. Cada um comentou a seu modo o caso, e Leão Lobo, incontinênti, recorreu ao método charadístico: *Telegrama, reserva, segredo de Estado...* Conceito? Engasgou no conceito. Era a segunda vez na semana que por falta de conceito perdia uma charada.

Assim permaneceram até a volta dos heroicos expedicionários.

Que bela festa, a recepção! Foi a banda esperá-los à boca da cidade, e com ela os patriotas, o Tiro, as moças. Mal os avistaram, romperam em vivas. A banda malhou o hino. Depois, a *accolade (Lírio)*. Mariquinha Fagundes ofereceu a cada qual sua coroa de louros, feita de folhas de jabuticaba. Ela mesma enfiou-as na Flaubert de um, na garrucha de outro e nos guatambus chumbados dos restantes. Itaoca sabia ser grata aos seus heróis.

E a coisa não ficou nisso, note-se. Na primeira sessão da Câmara foi proposta a cunhagem duma medalha comemorativa, tendo no verso um cambito de perneira esmagando víboras e no anverso um lindo dístico em latim. É verdade que este projeto caiu. Mas vingou outro mais econômico: dar a quatro ruas o nome dos quatro heróis. Destarte, e com muita justiça, pois não, as antigas ruas General Osório, Duque de Caxias, Regente Feijó e Rio Branco passaram a denominar-se, respectivamente, rua Tenente Teixeira, rua Aristeu da Silva, rua José Joaquim de Souza e rua Aristogiton Pereira.

Mas Leão Lobo, o infatigável patriota, não está satisfeito. Entre uma charada e outra, perde-se em meditabundos devaneios. Como ainda não se abriu com os amigos, ninguém sabe qual é a grande ideia que lá lhe fulgura sob a gaforinha.

Mas há meios de devassar o pensamento secreto dos homens generosos que pronunciam cem vezes ao dia a palavra pátria com P maiúsculo. Ele – nobilíssima criatura! – está amadurecendo a ideia de pedir a Clemenceau a fita da Legião de Honra para a lapela da mui leal e invicta Itaoca.

E vão ver que Clemenceau acaba por fazer-lhe a vontade, dando ainda a ele, Leão Lobo, de lambuja, a comenda do *Mérite Agricole*.

Merecidíssima, aliás, pois não!

CAFÉ! CAFÉ!

1900

E o velho major recaiu em cisma profunda. A colheita não prometia pouco: florada magnífica, tempo ajuizado, sem ventanias nem geadas. Mas os preços, os preços! Uma infâmia! Café a 6 mil-réis, onde se viu isso? E ele que anos atrás vendera-o a 30! E este governo, santo Deus, que não protege a lavoura, que não cria bancos regionais, que não obriga o estrangeiro a pagar o precioso grão a peso de ouro!

E depois não queriam que ele fosse monarquista... Havia de ser, havia de detestar a República porque era ela a causa de tamanha calamidade, ela com seus Campos Sales de bobagem.

Que tempos! Pois até o Chiquinho Alves, um menino que ele vira em fraldas de camisa brincando na rua, não estava agora na chapa oficial para deputado? Que tempos!

E com as magras mãos de velho engorovinhado o major torcia com frenesi os bigodes amarelos de sarro.

Todo ele recendia a passado e rotina. Na cabeça já branca habitavam ideias de pedra. Como essas famílias de caboclos que vegetam ao pé dos morros numa choça de palha, cercada de taquara, com um terreirinho, moenda e o chiqueiro e toda a imensidade azul e verde das serras o dos céus a insulá-las da civilização, assim a cabeça do maior. As primeiras ideias que ali abicaram, e isso já de sessenta anos, nas remotas eras do bê-á-bá na escola do Ganimedes, meteram a foice na capoeira, fincaram os paus da cerca, aprumaram os esteios da morada, cobriram-na de sapé; e lentamente, à medida que vinham entrando, compelidas pela vara de marmelo e a rija palmatória do feroz pedagogo, foram erigindo a casa mental do nosso herói. Depois, no começo da vida prática, como administrador da fazenda paterna, novas ideias e novos conhecimentos, filhos da experiência, tiveram guarida na choça daquele cérebro, acrescendo-o de mais uns puxados ou telheirinhos. Juízos sobre o governo, apreciações sobre Suas Majestades, conceitos transmitidos por pais de família e coronéis da Guarda Nacional, ideias religiosas embutidas pelo roliço padre Pimenta, oráculo da família, receitas para quebrantos, a trenzama toda moral e intelectual da sua psíquica de matuto ricaço, por lá se arrumou com o tempo, apesar do acanhamento da choça e das dependências. Para o chiqueirinho foram as anedotas frescas e as chalaças pesadas aprendidas na botica do Zeca Pirula. E ficou nisso o meu major; se uma ideiazita nova voava para ele, batia de peito em seus ouvidos moucos, como rolinhas em paredes caiadas, caindo morta no chão; ou como borboleta em casa aberta, entrava por uma orelha e saía por outra. Ficou naquilo o Major Mimbuia, uma pedra, um verdadeiro monólito que só cuidava de colher café, de secar café, de beber café, de adorar o café. Se algum atrevido ousava insinuar-lhe a necessidadezinha de plantar outras coisinhas, um mantimentozinho humilde que fosse, Mimbuia fulminava-o com apóstrofes.

– O café dá para tudo. Isso de plantar mantimento é estupidez. Café. Só café.

– Mas, com seu perdão, major, se algum dia, que Deus nos livre, o café baixar e...

– O café não baixa e se baixar sobe de novo. Vocês não entendem dessa história – e depois, olhe, eu não admito ideias revolucionárias em minha casa, já ouviu?

E estava acabado, o pedreiro-livre murchava as orelhas e abalava de rabo encolhido.

Veio, porém, a baixa; as excessivas colheitas foram abarrotando os mercados, dia a dia os estoques do Havre e de Nova York aumentavam. Os preços baixavam sempre, cada vez mais; chegaram a 10 mil-réis, a 9, a 8, a 6. O major ria-se e limpando as unhas profetizava: – "Em janeiro o café está a 35 mil-réis".

Chegou janeiro; o café desceu a 5 mil e quinhentos. "Em fevereiro eu aposto que vai a 40!" Foi a 5.

O major emagrecia. "Em março eu juro pela alma de meu pai, que Deus haja, como o café há de subir a 45 mil-réis!" O café em março desceu a 4.

O major enlouquecia. Estava à míngua de recursos, endividado, a fazenda penhorada, os camaradas desandando, os credores batendo à porta. Já ia para três anos que o produto das safras não bastava para cobrir o custeio. Três déficits sucessivos devoraram-lhe as economias e estancaram as fontes. Mas o velho não desanimava. O cafezal estava um brinco, sem um pezinho de capim. As casas desmoronavam, o mato viçava nos terreiros, invadindo as tulhas, inundando tudo de clara verdura vitoriosa, o caruru já estava cansado de nascer nos lugares proibidos onde outrora, nem bem repontava medroso, já vinha um negro cambaio a arrancá-lo sem dó. O major passava a mandioca assada e canjica: nem pitava mais daqueles longos cigarros de palha, por economia. Todo dinheirinho que entrava das vendas do gado, de pedaços de terra, de empréstimos, de velhas dívidas pagas, tudo ia para o Moloch insaciável do cafezal. Chegado o tempo da colheita, colhia muito, as safras eram ótimas, porém o produto das vendas nenhum alívio trazia à situação, antes agravava-a com um novo déficit. E como não, se o café estava beirando os 3 mil a arroba e lhe saía a 6 a produção de cada uma?

Aconselharam-lhe o plantio de cereais; o feijão andava caro, o milho dava bom lucro. Nada! O homem encolerizava-se e rugia:

– Não! Só café! Só café! Há de subir, há de subir muito. Sempre foi assim. Só café. Só café!

E ninguém o tirava dali. A fazenda era uma desolação; a penúria extrema; os agregados andavam esfomeados, as roupas em trapo, imundos, mas a trabalhar ainda, a limpar café, a colher café, a socar café. Os salários, caídos no mínimo, uma ninharia, o quanto bastasse para matar a fome. O velho roía as unhas rancorosamente, vomitando injúrias contra os tempos modernos, contra a estrangeirada, o governo, os comissários, numa cólera perene, e trabalhava no eito com os camaradas a limpar café, a colher café.

– Sobe, há de subir, há de chegar a 30 mil-réis.

Para sustentar a luta vendeu uma nesga da fazenda – um pedaço da sua própria carne.

Depois vendeu outra, mais outra e outra. O Moloch insaciável, porém, engoliu tudo e pediu mais. Ele vendeu mais: vendeu os pastos, vendeu por fim a casa de morada com todas as benfeitorias e foi residir num ranchinho no cafezal.

A situação piorava, os preços continuavam a cair, o velho já estava sem unhas para roer e sem mandioca para se alimentar. Só possuía o cafezal, sempre limpo, sempre sem um matinho. Um dia desertou uma leva de camaradas: outros seguiram aqueles e em breve Mimbuia viu-se completamente só no seu ranchinho do cafezal. Levantava-se antes de clarear o dia e saía de enxada em punho, numa raiva surda, a capinar, a capinar o dia inteiro como um possesso.

Depois, como o cafezal fosse grande e ele um só, o mato brotou luxuriante, numa alegria verde-clara de vitória. O velho, possesso, dentes cerrados, surdo ao sol e a chuva, seminu, esfarrapado e macilento, baba a escorrer dos cantos da boca, torrado pela soalheira, sujo de terra, já não podendo vencer o mato exuberante, andava a arrancar as ervas mais atrevidas ou graúdas, catando uma aqui, outra ali.

A luta era gigantesca, de vida ou de morte. Pelo cafezal todo as ruas outrora vermelhas e varridas eram extensas faixas do verde vitorioso. A beldroega alastrava-se, o caruru já florescia, o picão derrubava as sementes novas para nova seara mais farta e pujante.

Pintassilgos inúmeros trilavam pelo chão banqueteando-se à farta nas sementes dos capins. As rolinhas rebolavam, arrulhando, roliças, de papinho duro. Os tico-ticos, como legiões de bárbaros, tagarelavam fabricando ninhos, pondo ovos, chocando-os, tirando ninhadas famintas. O sol rompia todas as madrugadas, fecundo, forte, vencedor, criando seiva intensa, acariciando as ervas transbordantes. Chuvas contínuas davam à terra magnífica um fofo de alfobre. O velho Mimbuia estava um espectro, já nu de todo, os olhos esbugalhados a se revirarem nas órbitas com desvario. Um espectro sem carnes, só pele calcinada e ossos pontiagudos. Mas quando a boca se abria naquela barba hirsuta, o que vinha era uma coisa só:

– Há de subir, há de subir, há de chegar a 60 mil-réis em julho. Café, café, só café!...

TOQUE OUTRA*

– Ora toque, Sinhazinha, toque!

– Mas eu não sei...

– Não faz mal, toque assim mesmo, não se faça de rogada. Aquela valsinha...

A pálida menina geme novos luxinhos faceiros, torce os pingentes da almofada e por fim levanta-se, toda dengues, a desculpar-se.

– Vou errar tudo, não tenho estudado há muitos dias, estou esquecida...

– Não faz mal, toque!...

Sinhazinha senta-se ao piano, folheia a maçaroca de músicas e preguiçosamente abre diante de si uma valsa de Aurélio Cavalcanti.

E toca: *blem, blem, belelém...*

A sala então, que só por aquilo esperava, afunda na conversa. O barulho do piano, abafando o tom geral da palestra, dá azo à delícia dos duos, em que cada um pega de cochicho com quem mais o atende. As matronas, donas de casa, caem no assunto dileto – os criados!

– Ai, os criados! Que gente, prima! Que pestes! Não fazem "isto" sem uma pessoa estar em cima; se vão a compras, roubam no troco... E não se lhes diga uma palavrinha! Pedem a conta e dizem desaforos; os demônios...

As meninas rodeiam o moço, que impa como um galo e desdobra o farnel da banalidade tão cara às mulheres; todas ouvem-no atentas, bebem-lhe os ditos, riem das suas pilhérias, acham-no "levado".

* Sem indicação de data.

Titinha diz, sorvendo-o com os olhos:

– Este seu Raul é mesmo da pele!

Num desvão da janela cochicha-se um namoro; a das Dores conta à do Carmo que não gosta mais do Luisinho por umas certas coisas que viu no último baile. Do Carmo comenta, sentenciosa:

– Os homens! Os homens!...

Duas em outro canto riem perdidamente, em casquinadas argentinas.

Nisto Sinhazinha acaba a valsa. A sala dá pela coisa, interrompe a tagarelice e pede mais:

– Muito bem, Sinhazinha, muito bem! Toque outra!...

Sinhazinha ataca uma *schottisch.*

A sala retoma os temas interrompidos.

– Mas... como eu ia contando...

Impossível negar as vantagens sociais da música.

UM HOMEM DE CONSCIÊNCIA*

Chamava-se João Teodoro, só. O mais pacato e modesto dos homens. Honestíssimo e lealíssimo, com um defeito apenas: não dar o mínimo valor a si próprio. Para João Teodoro, a coisa de menos importância no mundo era João Teodoro.

Nunca fora nada na vida, nem admitia a hipótese de vir a ser alguma coisa. E por muito tempo não quis nem sequer o que todos ali queriam: mudar-se para terra melhor.

Mas João Teodoro acompanhava com aperto de coração o deperecimento visível de sua Itaoca.

– "Isto já foi muito melhor" – dizia consigo. – "Já teve três médicos bem bons – agora só um e bem ruinzote. Já teve seis advogados e hoje mal dá serviço para um rábula ordinário como o Tenório. Nem circo de cavalinhos bate mais por aqui. A gente que presta se muda. Fica o restolho. Decididamente, a minha Itaoca está se acabando..."

João Teodoro entrou a incubar a ideia de também mudar-se, mas para isso necessitava dum fato qualquer que o convencesse de maneira absoluta de que Itaoca não tinha mesmo conserto ou arranjo possível.

– "É isso" – deliberou lá por dentro. "Quando eu verificar que tudo está perdido, que Itaoca não vale mais nada de nada de nada, então arrumo a trouxa e boto-me fora daqui."

Um dia aconteceu a grande novidade: a nomeação de João Teodoro para delegado. Nosso homem recebeu a notícia como se fosse uma porretada no crânio. Delegado, ele! Ele que não era nada, nunca fora nada, não queria ser nada, não se julgava capaz de nada...

* Sem indicação de data

Ser delegado numa cidadinha daquelas é coisa seriíssima. Não há cargo mais importante. E o homem que prende os outros, que solta, que manda dar sovas, que vai à capital falar com o governo. Uma coisa colossal ser delegado – e estava ele, João Teodoro, de-le-ga-do de Itaoca!...

João Teodoro caiu em meditação profunda. Passou a noite em claro, pensando e arrumando as malas. Pela madrugada botou-as num burro, montou no seu cavalinho magro e partiu.

Antes de deixar a cidade foi visto por um amigo madrugador.

– Que é isso, João? Para onde se atira tão cedo, assim de armas e bagagens?

– Vou-me embora – respondeu o retirante. – Verifiquei que Itaoca chegou mesmo ao fim.

– Mas, como? Agora que você está delegado?

– Justamente por isso. Terra em que João Teodoro chega a delegado eu não moro. Adeus.

E sumiu.

ANTA QUE BERRA
1919

História propriamente é o que vou contar, mas simples episódio – coisa de um aparte inocente que atrapalhou a tacanha narrada pelo meu saudoso amigo Major Pedro Falaverdade, de Itaquaquecetuba.

Apesar de grande caçador o meu amigo não mentia: atrapalhava-se às vezes, confundia uma caçada com outra: mas mentir deliberadamente, como a maioria dos devotos de São Huberto, isso nunca! Para narrar feitos venatórios não havia outro; imitava ao vivo os cães na acuação, os anseios da espera, a corrida, o tiro, levando o naturalismo a ponto de reproduzir até o estrebuchamento final da caça ferida, para o que se atirava ao chão e tremelicava de pernas entre roncos e arquejos de animal agonizante.

É impossível reproduzir as suas histórias com o encanto que lhes emprestava a mímica pitoresca e o seu maravilhoso estilo técnico de caçador encanecido nas lides cinegéticas.

Além disso, confesso aqui à puridade, não sou literato; não fiz versos aos vinte anos e nem sequer coloco decentemente os pronomes.

Mas vamos ao caso.

Por uma tarde modorrenta de agosto o major narrava-me em sua fazenda a mais bela proeza da sua vida: – "Caçada de que me orgulho" – dizia ele – "como Napoleão se orgulhava de Marengo".

Passou-se o feito nos sertões do Peripipeva, Serra do Mar, às margens do Itaguaçu. Para encurtar caminho e não amolar os leitores, começo do meio. Fale o major:

– ... "E aí soltei a cachorrada. O Vinagre, como sempre, rompeu na dianteira. Cachorro fantasista, amigo de contemplações, pegou logo de namoro com os tangarás, e moita – não correu. Olho Verde, Molho Pardo e Tatuíra, esses afundaram firmes por uns carreiros velhos.

Mozart partiu por último, depois de um consciencioso farejo pela beira do rio.

Mozart! Que cachorrão! Era o mestre da matilha e único que fazia fé. Os outros às vezes negavam fogo, mentiam, perdiam a caça ou mudavam de rasto. Mozart, nunca!

Sóbrio, comedido, de poucas vozes, mas certo como um relógio. Quando ele acuava, eu me punha a postos, que era caça, na certeza matemática; e conforme o número de acuos, já de antemão eu sabia que animal levantara. Um sinal, paca; dois, veado; três, porco; quatro, anta.

Aos bichos vagabundos, irará, cutia, coati, ouriço, ele magoava com o silêncio de um desprezo olímpico.

Nesse dia, a primeira voz que me chegou aos ouvidos foi a acuação do Olho Verde. Não fiz caso. Olho mentia como um cachorro.

Depois latiu a Tatuíra. Era mais sério. Tatuíra, por Mozart e Minerva, herdara do pai as sólidas qualidades de mestre, prejudicadas, porém, por umas excentricidades histéricas da mãe, que, coitada, morreu hidrófoba. E assim, como *chienne souvent varie,* eu que estava deitado de papo acima sob a copa de um ingazeiro marginal ergui-me, mas só nos cotovelos.

Nisto acuou Mozart – *au, au, au, au*: – anta! De um pulo pus-me na espera, atento. Logo depois os latidos amiudaram e percebi que todos os cães, exceto aquele tranca do Vinagre, corriam no calcanhar da anta.

Como você sabe, corrida de anta no mato é um castigo. Não há barulho igual. Anta acuada mete-se num trote rompente por meio dos tramados, e vara caminho em linha reta, amassando o reino vegetal como um tanque de carne.

E por isso enche a floresta de uma barulhada infernal, de fazer pequeno o coração do caçador novato.

Vinha para meu lado a bicha, margeando o rio. O estrépito das taquaras rachadas, e da galhaça feita em lascas, crescia de vulto rapidamente. Eu postei-me em posição de fogo, no eixo de um vaiado, onde forçosamente ela havia de entreparar, e engatilhei a Lafourché, bem encaroçada de paula-souza.

Au! au! au! Estava a bicha a coisa de cem metros, mais minuto e rompia na clareira onde a esperava o meu tiro. O barulho fez-se atroador! Parecia um furacão do inferno em trabalhos de arrasar a floresta! Os taquaruçus rebentavam com estampidos de bomba; e embaúvas de foice gemiam estaladas nas sapopembas. Vinte metros! O fragor já ensurdecia os meus ouvidos. Dez passos! Só tinha o monstro de vencer um moitão de taquaruçus para cair no limpo da espera. *Bá, bá, tá, tá* – a moita estremeceu, rasgou-se, estrondeante, e uma anta cascuda, que mais parecia um rinoceronte, rompeu da tranqueira verde e estacou apalermada à beira do valo. – Eu – *pum! pum!* – tiro de barragem no pé do ouvido. Ela moleou o corpo e sumiu o corpanzil para dentro do buraco, estrebuchando, e lá desferiu um berro que parecia fim do mundo!"

Neste ponto eu interrompi o major com um aparte inocente:

– Será que anta berra, major?

O homem vacilou um segundo; mas tomando pé incontinênti disse:

– Ora, que diabo! Estou confundido. Não era "propriamente" anta o que eu caçava nesse dia, era um veado! É isso mesmo, um lindo veado-catingueiro... Mas, como ia dizendo, o veado berrou e eu...

O veado berrou e o major continuou a história da maior façanha da sua vida com uma impavidez que é privilégio dos heróis. E eu tive lado de verificar quanta razão assistia ao povo em tê-lo na conta do caçador mais verídico da zona. O major positivamente não mentia, confundia apenas uma caçada com outra, por defeito de memória, coisa aliás desculpável em quem já trazia sobre si o peso de sessenta janeiros. Agora que o meu pobre amigo jaz a dormir o derradeiro sono, presto aqui a homenagem desta confissão às altas qualidades do seu espírito superiormente fidedigno.

O AVÔ DO CRISPIM
1919

– Somos todos aqui uns pulhas, uns seixos rolados – dizia-me Crispim Paradeda. – Sabe o que é seixo rolado? Essas pedras de fundo de rio que de tanto baterem umas nas outras acabam sem arestas. A civilização nos iguala, nos arredonda, nos tira a coragem da originalidade. Ali, o meu avô Paradeda...

Impossível uma conversa com o Crispim sem que esse avô aparecesse. Dias antes contara-me como o homem viera de Portugal, fugido à polícia, sob o melhor disfarce da época: uma batina de jesuíta. Ao pôr pé na terra nova achou de bom conselho experimentar a vida de padre clandestino pelos sertões, e levou bom tempo assim. Fez comércio de relíquias; vendeu muito osso de santo e sobretudo "tabuinhas aplainadas por São José" – sem que ninguém lhe objetasse não haver plainas naquele tempo e serem de bacurubu aquelas tabuinhas, madeira inexistente na Terra Santa.

Quando as autoridades eclesiásticas lhe deram em cima, o homem já estava cheio de dobrões. Lançou então às urtigas a batina salvadora e, mudando de zona, apareceu no mundo como o Major Crispim Paradeda, o mesmo nome do meu amigo.

Dias antes tinha-me o Crispim contado essa história – e ia contar outra. Crispim nunca citava o avô sem "vir com uma".

Esta manhã fiz um péssimo negócio – disse ele –, unicamente porque não passo de um seixo rolado. Imagine que emprestei quinhentos mil-réis a um sujeito que além de não pagar dívidas se diverte em difamar os credores. Ah, se eu fosse como o meu avô!...

Um novo caso vinha vindo. Preparei-me para ouvi-lo.

– Meu avô, depois daquela patifaria da batina, que você conhece, enriqueceu com o capital juntado.

– Comércio de madeira, as tabuinhas, sei...

– Sim. Reduziu a tabuinhas todo um velho bacurubu do seu quintal e salvou-se. Em seguida mudou de negócio. Comprou tropas e depois terras. Afazendou-se. Aos sessenta anos era dono de muitos escravos, da excelente fazenda do Pinhal e de regular soma de ouro e prata em moeda, que escondia num cofre de cabiúna de grandes ferragens nos cantos. A arca! Começou a fazer empréstimos, mas os primeiros calotes induziram-no a arrepiar caminho.

– "Chega" – disse consigo. – "De hoje em diante ninguém me leva uma só pataca."

Ora, aconteceu que justamente no dia seguinte lhe aparece pela fazenda um novo candidato ao seu dinheiro. O homem apeia, entra, explica-se. Meu avô recebe-o risonhamente, com cara de porta aberta.

– "Só cem patacas?" – pergunta.

Tais palavras, que nenhum dador de dinheiro jamais teve, estarreceu o pretendente, o qual, já em estado de levitação, elevou o montante a cento e cinquenta – "já que o major...".

– "É indiferente, meu caro. Cem, cento e cinquenta ou duzentas. Por que não leva logo duzentas?"

Ficou assentado que o empréstimo seria de duzentas e vinte patacas, e depois de combinados os termos da transação, prazo e juros – prazo longo e juros baixíssimos –, entram os dois para o escritório a fim de porem o preto no branco. Enquanto meu avô abre a arca e religiosamente vai tirando as moedas, contando-as e empilhando-as sobre a mesa em montinhos de dez, o pretendente, radiante, totalmente levitado, traça a obrigação com as palavras sacramentais: "Devo que pagarei etc.".

Naquele tempo as coisas eram mais simples do que hoje. Bastava uma folha de papel – um papel levemente azulado, lembro-me ainda, sem selos. Papel manilha, creio...

– Sei. Adiante.

– Pois é. O pretendente traça com ótima letra o "Devo que pagarei..." assina e mostra-o a meu avô. O endiabrado velho põe os óculos, lê tudo demoradamente, reclama contra uma falha qualquer de redação e obriga o homem a repetir o escrito. Por fim concorda. Acha que o documento está perfeito.

– "Muito bem" – diz então, esparramando-se na cadeira de braços, com uma das mãos sobre o documento. – "Agora quero que o amiguinho (tinha a mania de tratar toda gente assim) repita as palavras que vou dizer: 'O major é um ladrão!'."

O radiante pretendente perde metade da radiância. Fica atônito. Não entende. Olha para meu avô com olhos arregalados e boca entreaberta.

– "Sim, amiguinho" – continua o velho. – "Repita o que eu disse: 'O major é um ladrão!'."

O assombro do ex-radiante pretendente sobe de ponto. Continua a não entender coisa nenhuma de coisa nenhuma. Gagueja. Sua na asa do nariz.

– "Vamos, repita o que eu disse" – teima o velho –, "pois do contrário não apanha os cobres. Levante-se. Fique ali no meio da sala e diga: 'O major é um ladrão!'."

A cena prolonga-se por alguns instantes, até que a insistência de um supera a resistência do outro. E o pobre homem, muito desconchavado, repete desconvencidamente a frase da encomenda.

– "Assim não serve" – reclama o meu avô. – "Quero que diga isso com calor, com indignação, a cara bem vermelha, batendo o punho na mesa, assim: 'O MAJOR É UM LADRÃO!'. Berrado, amiguinho. Bem berrado! Vamos! Ah, não quer? Pois nesse caso o negócio está desfeito" – e faz menção de varrer para dentro da gaveta os deliciosos montinhos de patacas.

A tal ponto o gesto assusta o arrasado pretendente que ele repete a frase ofensiva ainda com mais veemência do que a encomendada.

O meu diabólico avô incha-se de gozo. Sorri inteirinho. Esfrega as mãos.

– "Ótimo! Exatamente como eu queria. Agora vai o amiguinho dizer mais alguma coisa. Vai dizer, com o mesmo calor, com outro soco na mesa, mais isto: 'O major tira a camisa dos pobres!'."

– "Mas, major, eu..." – protesta o homem, cada vez mais atrapalhado. "Não posso estar a dizer o que não penso. Conheço o major, sou seu amigo, sei da sua generosidade e, portanto..."

– "Nada de desvios, amiguinho! Ou repete o que mando ou não fazemos o negócio" – e pela segunda vez leva as mãos às patacas no gesto de varrê-las para o gavetão.

A ameaça valeu. O triste pretendente declama, com a voz mais indignada que pode, aquele horror: "O MAJOR TIRA A CAMISA DOS POBRES!'. Bem berrado!...

– "Isso!" – aprova o velho. – "Está perfeito. Está exatamente no tom que o amiguinho vai adotar quando a obrigação vencer-se e eu mandar cobrá-lo. E o irá dizer pelas esquinas, nas vendas, nos chás do Chico Mendes – por toda parte onde encontrar desafetos meus ou ouvidos vadios. Resultado: fico sem minhas patacas e perco um excelente amigo. Ora, se vai ser assim, por que não podarmos o mal pela raiz? O meio é simples. Retenho as minhas patacas (e ao dizer isto varre-as para a gaveta) e o amiguinho fica lá com a sua obrigação. Tome-a..."

Maquinalmente o náufrago pegou o papel azul, enquanto ia ouvindo o doloroso som das moedas a caírem no gavetão.

– "Perder o meu dinheiro" – concluiu o meu avô Paradeda – "não me parece o pior, porque, graças a Deus, tenho-o de sobra. Mas perder um amigo? Isso nunca! Como tenho menos amigos do que patacas, zelo mais pela conservação deles do que delas."

E, cinicamente, mudando de assunto:

– "Escute cá, amiguinho. Será verdade o que andam dizendo por aí do filho da Nhana Lisa com a enteada do coronel Xandó? Francamente, esse negócio não me cheira bem. Você, que acha?"